CW00393672

YR ANHYGOEL

J. AELWYN ROBERTS

Argraffiad Cyntaf — 1991

ISBN 0 86074 065 X

Cyhoeddwyd ac argraffwyd gan Wasg Gwynedd, Caernarfon

Cynnwys

Tomi 18
Yr Ysbryd Colledig 24
Nodi 41
Yr Afanc ac Ysbrydion Eraill 49
Y Dysgwr 60
Y Gwawrio 67
Ysbryd Tŷ Cyngor 75
Ysbryd yr Hogyn Bach 87
Ysbryd Achlysurol 103
Yr Ysbryd Symudol 110
Yr Ewyllys 124
Breuddwyd Ynteu Ysbryd 129
Ysbryd Dyn Byw 136
Ysbryd y Fynwent 146
Ysbryd y Fam Ddibriod 155
Yr Ysbryd Direidus 164
Y Talentau 178
Telepathi 181
Seicometri neu Ddweud Ffortiwn 187
Iacháu 196
Dewino Dŵr 206
Sis Jones 215
Esboniad Elwyn 232

Yn y Dechreuad

Doedd yna ddim ysbrydion ym Mlaenau Ffestiniog pan oeddwn i yn hogyn yn y tridegau — dim bwganod go iawn. Oedd, roedd yna rai yn dweud eu bod nhw wedi gweld ysbryd ar y groesffordd yn y Manod. Ond rhyw ysbrydion amwys, anniddorol oedd y rhain — rhyw greaduriaid ffansïol, yn symud fel pe o dan blanced wen, ac mor ddigymeriad fel nad oedd modd gwybod eu rhyw, hyd yn oed; ac yn wir doedd dim sicrwydd fod ganddyn nhw ryw.

Yr adeg honno hefyd roedd yr ychydig fwganod oedd ar gael yn byw allan yn yr awyr agored, ar ryw groesffordd unig neu yn ymyl camfa. Chlywais i erioed neb yn dweud am yr un tŷ yn y Blaenau fod yna fwgan ynddo. Ond roeddwn i'n gwybod am dŷ bwgan ym Metws-y-coed. Fe fyddai'r Eglwys yn cynnal Gŵyl Gorawl y Ddeoniaeth ym Metws-y-coed bob blwyddyn. Ar ôl rihyrsal y pnawn fe fydden ni'r plant yn mynd i lawr at yr afon i daflu cerrig fflat ar draws wyneb y dŵr. Yn y coed uwchben yr afon roedd yna dŷ mawr brics coch ac fe fydden ni'n dangos hwn i'n gilydd ac yn dweud ei fod o'n dŷ bwgan. Wn i ddim pa sail oedd gynnon ni dros ddweud hyn ond roedden ni i gyd yn berffaith sicr fod yna ysbryd yn y tŷ brics coch.

Ond roedd gennon ni fwgan dipyn yn wahanol yn y Blaenau yr adeg honno. Ysbryd o gig a gwaed oedd hwn, yn cerdded drwy'r Stryd Fawr am hanner nos, bob nos, haf a gaeaf. Roedd pawb yn y dre yn gwybod fel roedd hen brifathrawes ysgol y babanod yn rhodio strydoedd gweigion y dre bob nos. Roedd gan Miss Jones Bach dri chariad ffantasïol — Arolygwr y Polîs, Prifathro'r Ysgol Ramadeg ac, yn rhyfedd ddigon, Arglwydd Davies, Llandinam.

Lawer noson, pan oedd Dave fy ffrind a minnau gartre ar wyliau o'r coleg ac allan dipyn yn hwyr fe ddeuem i gyfarfod Miss Jones Bach ar ei phererindod hithau. Fe fydden ni'n gweld rhyw olau cannwyll egwan yn dod o gyfeiriad siop Pollecoff. Wedyn fe sleifiem i gysgod drws siop, er mwyn rhoi llwyr ryddid y dre i Miss Jones. Yna, mewn eiliadau, fe fydden ni'n gallu gweld golau egwan ei lantern a chlywed sŵn siffrwd ei gwisg laes ar y palmant ac oglau fel arogldarth Capel Pab yn gymysg â pheli gwyfyn fy nain. A dyna'r antur drosodd. Fe fyddai'r hen wreigan fach yn mynd heibio i ni mor agos fel y gallem fod wedi'i chyffwrdd, ond fuasen ni byth yn beiddio. Rydw i wedi meddwl sawl tro a oedd Miss Jones Bach yn gwybod ein bod ni yn ein cuddfan pan oedd hi'n mynd heibio. Chawson ni erioed arwydd ganddi.

Unwaith neu ddwy fe ddaru ni ei dilyn at orsaf y polîs yn Park Square lle'r oedd yr Arolygydd yn byw. Byddai Miss Jones yn aros yn y fan gysegredig hon ac yn tynnu deilen brifet o'r gwrych, rhoi cusan iddi ac yna ei thaflu'n ôl i ardd yr Arolygydd. Ymlaen wedyn at yr Ysgol Ramadeg. Deilen arall, lluch arall, ac yn ôl i'w chartref bach yn stryd Glynllifon a chau'r drws.

Ar ôl blynyddoedd o ymdrin â bwganod, mae'r

arswyd hyfryd o allu cysylltu ag ysbrydion yn f'atgoffa bob amser o sŵn *frou-frou* gwisg sidan Miss Jones Bach a'r oglau arogldarth yn gymysg â pheli gwyfyn. Mae'n rhyfedd meddwl hyn, ond petawn i wedi penderfynu mynd yn dwrne, neu yn athro, neu yn ocsiwnïar, mae'n debyg mai'r peth agosaf i ysbryd y buaswn i wedi'i weld fuasai'r cipolwg achlysurol yma ar Miss Jones Bach ar Stryd Fawr y Blaenau am hanner nos.

Mae'n rhyfedd fel rydyn ni i gyd yn awchu ac yn sychedu am y pethau rydyn ni yn eu galw yn gyfiawnder a chyfartaledd. Ac eto, dydi bywyd ar y ddaear yma, na hyd yn oed bywyd yn Nheyrnas Nefoedd ddim yn gweithio fel hyn. Yn yr Iwtopia Mawr fe gofiwch fod y rhai a weithiodd ddim ond un awr yn y winllan yn cael yr un cyflog yn union â'r rhai a weithiodd drwy wres y dydd am ddeuddeg awr. Petai hyn yn digwydd yn British Leyland heddiw fe fuasai'r gweithwyr i gyd yn crochlefain 'Allan! Allan!', ac allan y buasen nhw'n mynd cyn goddef y fath anghyfiawnder. Ond mae'r math yma o anghyfiawnder yn digwydd yn ein bywydau ni i gyd a fedrith swyddogion Undebau Llafur na neb arall wneud dim i'w newid.

Mae yna ym mhob tre a phentre lawer iawn o deuluoedd a all ddweud na fu yr un aelod o'r teulu erioed yn glaf mewn ysbyty. Mae yna rai sy'n gweld eu meddyg teulu mor anamal fel eu bod nhw wedi anghofio'i enw. Ac mae yna eraill, druan bach, a'u hunig sgwrs nhw ydi 'Fy *operation* gynta' a 'Yr *operation* fawr ges i 'mhen dwy flynedd wedyn'.

Mae yna gartrefi bach y gwyddon ni amdanyn nhw lle

mae hers y trefnydd angladdau i'w weld yn sefyll wrth y drws bron bob gaeaf.

Mae yna rai sy'n ennill pob raffl ac yn gweiddi '*House*' o flaen pawb arall, ac mae yna eraill sy'n talu'u harian ac yn ennill dim.

Mae yna hefyd gannoedd o bobol sy'n cael eu haflonyddu gan ysbrydion ac mae yna filiynau sy'n mynd drwy fywyd heb weld na chael unrhyw gyfathrach ag ysbryd na bwgan. Y peth ydw i'n geisio'i ddweud ydi hyn: petawn i wedi mynd yn dwrne, neu yn athro, neu yn ocsiwnïar, mae'n eitha posib y buaswn innau heddiw ymhlith y nifer fawr sy'n wfftio at y syniad o ysbryd, da neu ddrwg, ac at unrhyw fath o fodau sy'n gallu camu nôl ac ymlaen o'r byd yma i'r byd tu hwnt i'r llen. Ond mynd yn offeiriad wnesi, ac yn fuan iawn yn fy ngweinidogaeth fe sylweddolais fod ymgodymu ag ysbrydion yn rhan o'r gwaith.

Pan oeddwn i'n ddeunaw oed, a chyn i'r rhyfel dorri, fe es i Goleg Dewi Sant, Llanbedr Pont Steffan ac ar ôl graddio, mynd ymlaen wedyn i ddarllen diwinyddiaeth a dysgu'r grefft o fod yn berson plwy yng Ngholeg San Mihangel, Caerdydd. Yno roedden ni'n dysgu sut i ddysgu eraill, sut i ymweld â'r claf, sut i bregethu, sut i wrando; yr holl grefftau roedd eu hangen ar offeiriad, a'r cwbwl dan yr un teitl — 'Pastoralia'. Ond chawson ni'r un ddarlith o fath yn y byd ar sut i drin ysbrydion.

Roedd Sant Mihangel yn goleg rhagorol o dda ac rydw i wedi bod yn meddwl sawl tro pam y gadawyd ysbrydegaeth allan o'i gwricwlwm. Tybed mai dim ond y mawrion yn eu plastai a'u cestyll oedd yn cael eu poeni gan ysbryd, ac nad oedd hi'n broblem o gwbwl i'r bobol gyffredin roeddwn i i'w gwasanaethu? Os gwir hyn, yna mae'n sicr fod yna wrthryfel aruthrol wedi digwydd yn y byd y tu hwnt i'r llen oddeutu'r flwyddyn 1950, pryd y bu i'r ymadawedig hawlio'r gallu i ddod yn ôl i'r ddaear am gyfnodau. Mae un peth yn sicr: mae'r *mediums*, ac eraill erbyn heddiw, sy'n cael eu gwadd i drin ysbrydion mewn tai yn cael eu cadw'n hynod brysur, ac mae galw mawr amdanyn nhw i roi cymorth a chefnogaeth i'r nifer fawr fawr sy'n cael eu dychryn gan wahanol ysbrydion sy'n cyd-drigo â nhw.

Ac mae yna hefyd ddiddordeb aruthrol yn y pwnc yma. Raid i ddyn ddim ond dechrau dweud stori ysbryd na fydd ganddo gylch o wrandawyr parod.

Rydw i'n cofio, y llynedd, cyrraedd a 'mhac ar fy nghefn yn Istanbwl (yr hen Constantinople roeddwn i wedi clywed cymaint o sôn amdani yn Ysgol Maenofferen), a chael fy moiddro gan faint y traffig oedd yn mynd heibio. Dyma griw oedd yn eu galw'u hunain yn 'gerddwyr y byd' yn gadael i mi ymuno â nhw. Fe ddangosodd y rhain i mi bob twll a chornel o Istanbwl cyn i ni wasgaru ymhen pum diwrnod. Roedden ni'n aros mewn gwesty diseren yng nghanol y dre. £2 y noson a thri yn rhannu; ac mae'n debyg mai y naw ohonon ni oedd yr unig Ewropeaid yn yr adeilad. Ond roedd yna nifer fawr o ffoaduriaid o Iran. Roedd y gwesty yn un deg llawr ac ar ben grisiau pob llawr roedd yna lolfa. Un noson wedi i mi a fy nhramps ddod yn ôl dyma ni'n eistedd yn y lolfa i gael coffi cyn mynd i'r gwely, ac o dipyn i beth dyma hi'n troi yn stori ysbryd. Roeddwn i'n gweld yr Iraniaid yn edrych arnon ni, a chyn bo hir dyma un ohonyn nhw'n dweud:

'Chi deud stori ysbryd. Plîs gawn ni ddwad i wrando ar stori?'

A dyma nhw'n dod ac yn eistedd ar y llawr wrth ein traed ni, a chyda nhw roedd yna anferth o ddyn — 'Joe Louis' oedden nhw'n ei alw fo — ac roedd o'r un ffunud â'r bocsiwr ond mi fuaswn i'n cymryd fy llw ei fod o ddwywaith gymaint ag o. Eistedd ar gadair ddaru 'Joe Louis'.

Dyma fynd ati i ddweud un stori ysbryd ar ôl y llall wrthyn nhw. Rydw i wedi pregethu a darlithio i gynulleidfaoedd mawr a bach ond dydw i erioed wedi cael cynulleidfa yn gwerthfawrogi cymaint â'r fintai yma o ffoaduriaid o Iran.

Fe ddywedodd eu harweinydd ei fod yntau hefyd wedi gweld ysbryd ym Mhrydain. Fe ofynnodd i mi yn gyntaf a oeddwn i'n gwybod am Topsham Road yn Exeter. Minnau'n dweud fod gen i ferch yn byw yn Exeter heb fod ymhell o Topsham Road. Dyma fo'n dweud wrthyn ni wedyn, pan oedd o'n blentyn, fod gan ei dad o dŷ ar Topsham Road a bod yna un stafell yn y tŷ a bwgan ynddi, ac y byddai ei dad yn ei chadw dan glo bob amser. Ond, medda fo, roedden nhw'n deulu mawr ac roedd ganddyn nhw nifer o berthnasau yn Llundain yn awyddus i ddod i dreulio gwyliau efo nhw yn Exeter, ac roedd hynny'n dipyn o demtasiwn i'w dad ddefnyddio stafell y bwgan. Roedd o efo'i dad, yn rhyw lefnyn pedair ar ddeg oed, pan benderfynodd hwnnw agor y stafell. Fe roddodd ei dad y goriad yn y drws a'i droi, ac yna rhoi gwthiad i'r drws i'w agor, ond heb fynd i mewn. Yn wynebu'r drws roedd yna wely haearn sengl, ac fel roedd o a'i dad yn edrych fe gododd y gwely i fyny i'r awyr bedair troedfedd oddi ar y llawr. Fe arhosodd yn yr awyr fel hyn am funud neu fwy, ac yntau a'i dad yn syllu arno a'u cegau'n agored. Yna, syrthiodd yn glewt i'r llawr, a'r ddau'n rhedeg nerth eu traed i lawr y grisiau. Fe gymerodd oriau cyn y medrodd y tad fagu digon o blwc i fynd yn ôl i ail-gloi'r drws.

Ddaru'r storïwr ddim cynnig math o esboniad pam yr oedd ysbryd hollol Brydeinig, yn ôl pob golwg, yn cydgartrefu â theulu bach o Iraniaid, na chwaith pam roedd gwyrda o gred Foslemaidd, oedd yn credu mewn adenedigaeth, yn cymryd y fath ddiddordeb mewn ysbrydegaeth. Ond er hyn i gyd, ar ôl adrodd ei stori, fe gafodd gymeradwyaeth frwd a churo traed a churo dwylo gan ei gydwladwyr.

Erbyn hyn roedd hi'n ddau o'r gloch y bore. Roedd yr Iraniaid wedi gofyn i mi yn gynharach a fedrwn i fwrw allan gythreuliaid, ac er mwyn arbed gwaith egluro a chyfieithu roeddwn i wedi dweud wrthyn nhw y medrwn i. Felly, wrth i mi godi i fynd i 'ngwely dyma fi'n rhoi fy nwy law ar ben Joe Louis a dweud wrth y lleill: 'Mae bwrw cythreuliaid o ddyn yn eitha hawdd. Y cwbwl sy raid ei wneud ydi . . .'

Cyn i mi fynd ddim pellach roedd Joe Louis ar ei draed ac i ffwrdd fel mellten am y grisiau. Roedden ni'n ei glywed o'n mynd — clop, clop, clop i lawr i un llawr, clop, clop, clop i lawr i'r nesa, ac o'r diwedd i'r gwaelod gydag andros o glep ar y drws ffrynt, a'i gymrodyr yn rowlio chwerthin am ben y creadur ofnus.

Yn 1989 y digwyddodd hyn i gyd, ac mae'n esiampl o'r diddordeb sydd mewn ysbrydegaeth ledled y byd, ac eto roedd y cyfan yn hollol ddiarwybod i ddarlithwyr colegau diwinyddol y tridegau a'r pedwardegau. Ac wrth gwrs, doedd yna ddim rheswm pam y dylai darlithwyr Pastoralia fy ngholeg i wybod y buasai un o'u stiwdants nhw ymhen chwe mis ar ôl cael ei ordeinio yn cyfarfod ysbryd o'r enw Tomi, ac yn wir yn ystod ei oes yn cyfarfod dwsinau o rai eraill.

Ar ôl bod yn gurad Tal-y-sarn am ddwy flynedd fe symudais i fod yn Is Ganon yn Eglwys Gadeiriol Bangor. Yma y bu inni ddechrau ein bywyd priodasol ac yma hefyd y ganwyd ein dau blentyn cyntaf, Jane a Mark. Yr adeg honno roeddwn i'n dablio tipyn bach efo ysbrydion ac roedd fy ngwraig yn ofni yn ei chalon i mi ddod ag un adre efo mi i Farrar Road.

Symud yn 1952 i fywoliaeth Llandegai a Thregarth, lle ganwyd Bridget a Felicity a Siôn, a lle bu inni fabwysiadu Zoë. Yn ystod fy nghyfnod yma, cwtogodd yr archesgob y plwy i un eglwys er mwyn i mi allu gwneud gwaith Cyfarwyddwr Gwaith Cymdeithasol yr Esgobaeth. Fe esboniodd yr Archesgob i mi mai delio efo mamau dibriod a threfnu i blant gael eu mabwysiadu fyddai rhan helaethaf y gwaith, a dyma fy ngwraig a minnau rhyngon ni yn dod yn gyfrifol am weinyddu'r holl fabwysiadu trwy Ogledd Cymru a rhan o Sir Drefaldwyn. Fe aeth dros fil o fabanod i mewn ac allan o Ficerdy Llandegai yn y cyfnod yma ac fe gafodd dros bum cant ohonyn nhw eu mabwysiadu i gartrefi Cristionogol.

Ond dweud ddaru'r archesgob mai mabwysiadu fyddai rhan helaethaf y gwaith — ddaru o ddim dweud mai dyma fyddai'r unig waith. Roedd disgwyl i'm swyddfa i hefyd ddelio â phroblemau a anfonid i mewn o'r plwyfi. Doeddwn i ddim wedi bod wrth fy ngwaith fis na ddaeth yna broblem o'r math yma. Jane, gwraig ficer Llanmynech, oedd ar y ffôn ac roedd ganddi hi broblem. Chwech o'r gloch gyda'r nos oedd hi ac roedd Robert ei gŵr allan yn ymweld yn y pentre, a doedd ganddi hi ddim syniad pryd y buasai'n dod adre. Yn y cyfamser roedd ganddi, yn eistedd yn eu car y tu allan i'r Ficerdy, gwpwl bach oedd mewn styffâg. Roedden nhw'n disgwyl i Robert ddod adre a doedden nhw ddim am symud nes cael ei weld o.

Ymddengys fod y ddau yn y car yn bâr priod, y ddau yn gweithio ym Mangor ac yn teithio yn ôl a blaen bob dydd efo'i gilydd. Y noson yma roedden nhw wedi dod adre fel arfer; roedd o wedi agor y drws efo goriad fel arfer, ac roedd y ddau wedi cerdded i mewn i'r tŷ i glywed y sŵn malu a thorri mwyaf ofnadwy yn dod o'r gegin. Gan feddwl mai lleidr oedd yno, roedd o wedi codi bat criced o'r *porch* ac wedi mynd ar flaenau'i draed at ddrws y gegin, troi nobyn y drws a chanfod ei fod o wedi'i gloi o'r tu mewn. Y ddau'n rhedeg wedyn at y drws cefn; hwnnw hefyd wedi'i gloi o'r tu mewn. Erbyn hyn roedd y sŵn wedi peidio a dyma edrych drwy ffenest y gegin a gweld fod y lle fel tasai byddin o *lager louts* wedi bod drwyddo. Cypyrddau wedi'u dymchwel, llestri wedi'u torri'n chwilfriw, ac roedd coesau'r mop a'r brwshys llawr fel matsys ym mhobman. A hyn i gyd wedi digwydd tra oedd dau ddrws y stafell a'r unig ffenest iddi wedi eu cloi. Roedd yn berffaith sicr mai job i berson ac nid i blisman oedd hon. Ac, yn gall iawn, dyna lle'r aethon nhw — i dŷ'r person. Gan ei fod o allan, roedden nhw'n barod iawn i ddisgwyl amdano. Un peth oedd yn sicr; doedden nhw ddim yn mynd i wynebu *poltergeist* heb berson gyda nhw.

Ond y drwg oedd, fel y dywedodd Jane wrtha i: 'Pan ddaw Robert i nôl ei swper, mi fydd arno fo ofn yn ei galon. Mae Robert yn troi'n welw dim ond wrth i rywun sôn am ysbryd.'

Drwy drugaredd, roeddwn i wedi darllen llythyr yn y papur lleol gan rywun o Sir Fôn oedd yn awyddus i gychwyn cymdeithas astudio'r paranormal. Dyma fi'n codi'r ffôn a dweud wrtho am yr alwad roeddwn i newydd ei chael, ac fel roedd hi'n digwydd bod dipyn yn anghyfleus i mi y noswaith honno, a thybed . . .? Chefais i ddim darfod fy mrawddeg.

'Gadwch o i mi,' meddai'r llais. 'Rydw i'n gwybod am y Ficerdy yn dda, ac yn nabod y Parchedig. Mi fydda i yno mewn pum munud.' Mae'n debyg iddo fynd yno i nôl y cwpwl ifanc. Chlywais i ddim gair wedyn o Ficerdy Llanmynech am y peth.

Ond i mi, o'r munud hwnnw, roedd y sgrifen ar y mur. Gallai ficer Llandegai ddablo tipyn bach fel y mynnai o, a mynd i mewn ac allan o dai bwganod yn ôl ei fympwy, ond roedd sefyllfa Cyfarwyddwr Gwaith Cymdeithasol yr Esgobaeth dipyn yn wahanol. Roedd pob problem yn yr esgobaeth bellach yn ffeindio'i ffordd ato fo, a boed y broblem yn ysbryd neu fwgan neu hyd yn oed y diawl ei hun — ar ei ddesg o roedd hi'n dod i orffwys.

Roedd yna bellach ddau ddewis: swotio hynny o wybodaeth oedd ar gael am yr anweledig, neu wneud ffrindiau gyda dynion a merched oedd eisoes yn meddu ar y wybodaeth honno.

Petaswn i wedi cael fy nychryn o ddifri yn fy nghyfarfyddiad cyntaf ag ysbryd, efallai y buaswn i wedi cymryd trydydd dewis — rhoi'r gorau i swydd y Cyfarwyddwr cyn cychwyn arni. Ond yr ysbryd cyntaf i mi gyfarfod ag o oedd Tomi, ac roedd Tomi a'i fam yn gymeriadau mor hoffus . . .

Tomi

Chwe mis ar ôl gadael y Coleg Diwinyddol fe wnes i gyfarfod â'm hysbryd cyntaf erioed. Ar y pryd roeddwn yn gurad hollol ddibrofiad yn Nhal-y-sarn. Mae seicolegwyr yn dweud ein bod yn dod ar draws holl brofiadau bywyd ym mhum mlynedd cyntaf ein hoes. Mae gen i syniad fod y Parchedig Aelwyn Roberts wedi wynebu, yn ystod dwy flynedd gyntaf ei weinidogaeth, yr holl brofiadau sy'n bosib eu profi mewn plwyf. Ac efallai mai fy mhrofiad efo'r ysbryd oedd yr un mwyaf dymunol ohonynt i gyd.

Fe ges fy 'nhorri i mewn' i fyd ysbrydegaeth mewn modd tyner iawn. Efallai mai dyma'r rheswm pam nad ydw i erioed wedi bod ag ofn mynd i unrhyw dŷ bwgan. Roedd yr ysbryd cyntaf mor annwyl a ffeind ac roedd ei fam o, druan, mor falch fod y ddau ohonon ni wedi cael cyfarfod ein gilydd cyn iddi gau ei llygaid.

Adeg y rhyfel oedd hi, cyfnod pan oedd bron pob teulu yn yr hen bentre bach yn ofni cyfarfod y postmon yn y bore. Gwraig weddw yn ei hwythdegau oedd Annie Jones ac roeddwn i wedi dod yn hoff ohoni am ei bod yn f'atgoffa o Mam, oedd newydd farw. Roedd gan Mrs Jones fab, Tomi, oedd yn y fyddin. Fe fyddai'r hen ledi wrth ei bodd yn siarad am Tomi. Roedd o wedi bod am ddwy flynedd yn yr anialwch yn brwydro yn erbyn Rommel. Doedd dim rhaid iddo fod wedi mynd, oherwydd roedd Tomi dros ei hanner cant ac eisoes wedi brwydro yn y Rhyfel Byd Cyntaf, ond chwedl yr hen wraig:

'Mynd yn wirfoddol ddaru Tomi. Mae Tomi yn hogyn teyrngarol iawn, wyddoch chi.'

Roedd o'n sgwennu at ei fam yn rheolaidd bob wythnos, a phan fyddwn i'n galw fe fyddai'r llythyrau yn dod allan o drôr y dresal i mi gael eu darllen nhw. Gallaf gofio fel ddoe y llawenydd ar ei hwyneb pan ddaeth ataf i ddangos y llythyr oedd yn dweud fod Tomi o'r diwedd yn hel at ddod adre ar lîf, ac fe aeth yr hen wraig i ddweud yr un peth wrthyn nhw yn y Swyddfa Bost. Roedd yna lawer o fynd a dod i Rif 3, Coed y Brenin yn ystod y dyddiau nesa'. Rhai o'r cymdogion yn cynnig helpu efo cwpons bwyd ac eraill yn helpu i dwtio'r tŷ a hongian llenni newydd ar ffenest llofft Tomi.

'Mi liciwch chi Tomi pan welwch chi o,' meddai'r hen wraig am y ganfed waith. 'Hogyn digon distaw ydi o, cofiwch. Un am ei gartre ydi Tomi, ond mae o'n licio darllen. Mi liciwch chi Tomi.'

Yna, fe ddaeth y llythyr pwysig. Roedd y lîf wedi ei gadarnhau. Doedd dim hawl ganddo i ddweud pa bryd nac ym mha borthladd y byddai o'n glanio, ond roedd o'n dweud mai o rywle ym Mhrydain y deuai'r llythyr nesa'. Yr hen wraig yn hoblan â'r llythyr yma eto i mi ei weld.

Ddeg diwrnod yn ddiweddarach y daeth y telegram i ddweud bod y Swyddfa Ryfel yn gresynu fod Thomas Huw Jones wedi'i ladd tra'n gwasanaethu'i frenin. Ddaru Annie Jones ddim ond edrych ar y telegram a gadael iddo ddisgyn o'i llaw ac ar y lliain bwrdd. Roedd hi'n cofio'r telegrams yma o amser rhyfel 1914. Wnaeth hi ddim crio; dim ond mynd i fyny'r grisiau ac i'w gwely. Doedd yna ddim byd y gallai'r doctor ei wneud, oherwydd doedd hi ddim yn wael: wedi torri'i chalon yr oedd hi. 'Gwraig ofidus a chynefin â dolur.'

Dair wythnos yn ddiweddarach, ar bnawn Sul poeth ym mis Awst, fe ddaeth un o'r cymdogion i'r Ysgol Sul i fy nôl. Roedd Annie wedi gwaethygu. Pan gyrhaeddais i'r llofft, fe drodd ei phen a rhoi rhyw wên fach arna i. Roeddwn i'n gwybod ei bod hi'n fy nisgwyl. Fe eisteddais ar y gadair fach bambŵ yn ymyl y gwely a gafael yn ei llaw. Roedd y bleind wedi cael ei dynnu i lawr rhag pelydrau'r haul, a dyna lle'r oedden ni yn disgwyl am y diwedd. Ac eto, roedd yna awyrgylch rhyfedd yn y llofft fach honno. Roeddwn i fel petaswn i'n gwybod fod yna rywbeth ar ddigwydd. Roeddwn i'n gwybod hefyd nad oedd hwn yn amser i ddweud dim nac i siarad gair. Yn wir, doedd yna ddim lle i weddi hyd yn oed yn y tawelwch rhyfedd hwnnw. Rydw i'n cofio bod bleind y ffenest wedi ysgwyd, a minnau'n methu â deall pam roedd hyn wedi digwydd ar bnawn mor dawel. Yn sydyn, dyma'r hen wraig yn codi yn hollol ddidrafferth ac yn eistedd i fyny yn ei gwely. Fe dynnodd ei llaw yn rhydd o'm llaw i. A dyma hi, â'r wên fwyaf prydferth ar ei hwyneb a'i llygaid yn sgleinio gan lawenydd, yn codi ei dwy law tua'r nenfwd ac yn dod â nhw at ei gilydd unwaith eto.

'Tomi! Tomi!'

Fe gofleidiodd y ddau ei gilydd am rai eiliadau. Yna, dyma'r ddynes newydd yma; y ddynes ifanc, hapus, sionc, yn troi ata i efo gwên ac yn cydio yn fy ngarddwrn, gan ddal fy llaw yn yr awyr at y fan lle'r oedd Tomi'n sefyll. Roeddwn i'n gwybod fy mod i'n cael fy nghyflwyno i Tomi. A phetai llaw wedi dod o'r anweledig a chydio yn fy llaw i y foment honno, fuaswn i ddim wedi ofni. Ddaru'r fam ddim dweud dim, ond roedd y wên ar ei hwyneb a'r fflach llawenydd yn ei llygaid yn dweud yn huawdl mor falch oedd hi fy mod i wedi cael cyfarfod Tomi.

Y pnawn hwnnw roeddwn i'n hollol sicr fod y Tomi roedd y Swyddfa Ryfel wedi dweud iddo gael ei ladd ar faes y gad yn Affrica, bron i fis ynghynt, wedi dod rŵan i'r hen lofft fach yma yn Nhal-y-sarn a'i fod o a'i fam wedi mynd efo'i gilydd yn union ar ôl iddo fo a'r curad newydd gael eu cyfarfyddiad.

Erbyn heddiw, bron i hanner can mlynedd yn ddiweddarach, rydw i wedi gweld nifer dda o bobol yn marw. Ac mae pob marwolaeth yn wahanol. Rhai yn marw gydag urddas, eraill yn brwydro ac yn gwingo i geisio cael aros dim ond ychydig funudau yn hwy yn yr hen fyd rhyfedd yma. Ond rydw i, ers amser yr olygfa fach yn y llofft yn Nhal-y-sarn, wedi gweld dwsinau o rai eraill yn cael dod i'w nôl gan deulu a chyfeillion ac yn cael eu hebrwng mewn llawenydd i Baradwys.

Ymhen blynyddoedd ar ôl cyfarfod Tomi, cefais gyfle i ddod â thipyn o gysur i hen ffrind arall oedd ar ei gwely angau.

Pan oedden ni'n byw ym Mangor roedden ni wedi dod yn ffrindiau mawr â dau o gymdogion oedd mewn tipyn o oed, Bob a Helen Pritchard. Roedden nhw wedi bod yn hynod garedig wrth Jane a Marc y plant ac yn aros efo nhw ambell gyda'r nos er mwyn i ni'r rhieni gael *outing* bach.

A rŵan dyma glywed bod Helen, oedd bellach yn ei hwythdegau, yn ddifrifol wael. Pan gyrhaeddais y tŷ doedd yna neb i'w weld i mewn. Dyma roi cnoc a chodi'r glicied.

'Oes 'na rywun i mewn, os gwelwch yn dda?'

'O, Mr Roberts bach, dowch i mewn,' meddai llais egwan o'r parlwr ffrynt.

A dyna lle'r oedd hi yn ei gwely yn y parlwr. Ei phen yn hollol foel a wig yr NHS ar y bwrdd wrth ei hochr yn tystio i gemotherapi oedd ddim wedi gweithio.

Roedd yr hen beth wedi bod yn dŵad am fisoedd lawer meddai hi. Roedd hi wedi cael dwy *operation* fawr ac wedi bod yn Clatterbridge am driniaeth, ond doedd dim yn tycio.

'Ond Mr Roberts bach,' meddai hi, 'does gen i ddim ofn, ond mi rydw i yn poeni am Bob.'

'Ydi yntau'n sâl?' meddwn i.

'Nac ydi,' meddai hi, 'ond mi rydach chi'n gwybod amdano. Ddim munud yn llonydd. I mewn ac allan drwy'r dydd. Sipsi ddylai'r hen Bob fod wedi bod. A pheth arall,' meddai hi, 'wneith o ddim siarad am fy afiechyd i o gwbwl, a beth sy'n mynd i ddigwydd iddo fo ar ôl i mi gau fy llygaid? "Twt twt, hen siarad gwirion ydi hynna," fydd o'n ei ddweud. "Mae'r doctor yn deud eich bod chi'n dod ymlaen yn iawn." Yna, i ffwrdd ag o ar un o'r cannoedd negesau sydd ganddo. I mewn ac allan, i mewn ac allan. Bob druan, rydw i'n gwybod ei fod o'n poeni amdana i.'

A dyma ni'n dau wedyn yn dechrau siarad am y grefft

o farw. Finnau'n dweud wrthi fy mod i wedi dod i gredu y gall dyn neu ddynes fyw bywyd hynod o unig yn yr hen fyd yma, ond na fyddai'r un creadur byw farw yn unig. Boed dramp yng ngwrych y gaeaf, neu anturiaethwr yn ei babell yn yr Arctic, neu deithiwr sychedig yn y Sahara, byddai'r rhai a aeth o'u blaenau yn gwybod pryd i fod yn ymyl i'w hebrwng dros yr Iorddonen.

'Ambell waith,' meddwn i, 'tad neu fam neu frawd neu chwaer sy'n dŵad i nôl. Ac yn amal iawn, iawn, nain neu fam-gu sy'n dŵad.'

'Rhyfedd i chi ddeud hynna,' meddai hi. 'Mae fy nain i wedi bod yn y stafell yma hefo mi ers tri diwrnod bellach.'

Fe fu farw Helen Pritchard y diwrnod wedyn. Pan alwais i yn y tŷ roedd y cymdogion caredig wedi cymryd drosodd. Roedd Bob druan yn eistedd yn y gegin a rhyw glwt budr yn ei law i sychu'i ddagrau. Pan welodd o fi, dyma fo'n cydio yn fy llaw ac yn dechrau crio.

'Doeddwn i ddim yma pan ddigwyddodd y peth,' meddai. 'Roedd hi'n iawn yn y bore ac mi ddwedais i wrthi fod gen i ryw neges fach i'w gwneud ac na faswn i ddim yn hir. Ond pan ddois i yn f'ôl roedd hi wedi mynd. Ond o, mi roedd hi'n edrych mor ifanc. Roedd hi'n edrych fel rydw i'n ei chofio hi ar ddydd ein priodas. A wna i byth anghofio'r wên oedd ar ei gwyneb hi.'

Yr Ysbryd Colledig

Pan oeddwn i yn Is Ganon ifanc yn Eglwys Gadeiriol Bangor y daeth fy sialens fawr i. Rydw i'n edrych yn ôl ar y cyfnod yma fel adeg fy medydd trwy dân i fyd yr ysbrydegwyr.

Fe fyddwn i'n mynd, o dro i dro, i geisio lleddfu pryderon teuluoedd oedd yn cael eu poeni gan ysbrydion, ac rydw i'n crynu heddiw wrth feddwl mor ddibrofiad oeddwn i ar y pryd i geisio trin pethau oedd mor anesboniadwy. Fodd bynnag, pan ddaeth y sialens fawr roeddwn i'n lwcus fod gen i ffrindiau y gallwn ddibynnu arnyn nhw, ac yn yr argyfwng arbennig yma daeth cymorth a chyfoeth y Gorfforaeth Ddarlledu Brydeinig i'r adwy.

Roedd yna rai o aelodau cynulleidfa'r Gadeirlan wedi rhyw snecian dweud wrtha i fod yna nifer o'r aelodau yn mynd hefyd at yr ysbrydegwyr ar nos Fercher, i'w capel uwchben siop bysgod ar Stryd Fawr Bangor. Hwn, wrth gwrs, oedd y cyfnod ar ôl y rhyfel, a rywsut roedd o'n naturiol i lawer oedd wedi colli rhai annwyl fynd i le fel hyn i geisio'r cysur yr oedd yr eglwys a'r capeli bryd hynny, a hyd heddiw, yn methu â'i roi. Ond dyna fi, yn ifanc a gwirion, yn mynd ati i bregethu y byddai llid yr Hollalluog yn dod ar yr holl rai oedd yn ceisio edrych drwy'r llen a'r rhai oedd hefyd yn ymyrryd â'r marw ac yn creu penbleth i'r 'brodyr gweiniaid'.

Y nos Lun ddilynol, pan ddois i adre o'r Gadeirlan, roedd yna dri gŵr bonheddig parchus yr olwg yn disgwyl amdana i yn y stydi. Fe gyflwynodd yr arweinydd ei hun a'i gyfeillion i mi fel tri blaenor o Gapel Ysbrydegwyr y dre, a dyma fo'n dweud fod yna bethau wedi cael eu hailadrodd wrthyn nhw. Roeddwn i'n gwybod ar amrantiad mai sôn yr oedd o am fy hen bregeth wirion i y nos Sul cynt efo'i 'llid yr Hollalluog' a'r 'edrych drwy'r llen' a'r 'penbleth i'r brodyr gweiniaid'.

'Fuoch chi erioed mewn seons neu wasanaeth ysbrydegol, frawd?' meddai'r talaf ohonyn nhw. A rhaid oedd cyfadde nad oeddwn i wedi bod, ond fy mod i wedi darllen llawer am y math yma o beth; a thrwy'r amser roeddwn i'n cicio fy hun am beidio â bod wedi pregethu am rywbeth roeddwn i'n gwybod mwy amdano y nos Sul cynt — rhywbeth fel Jona ym mol y morfil.

Y cwestiwn nesaf oedd, 'Hoffech chi ymuno â ni mewn addoliad ryw noson, frawd? Efallai y byddai'n haws ichi farnu'r sefyllfa wedyn.'

Roedd o yn llygad ei le, ac yn hynod o foneddigaidd. Doedd yna ddim allwn i ei wneud ond diolch iddyn nhw am eu gwahoddiad ac am eu boneddigeiddrwydd, a gofyn iddyn nhw am dipyn o amser i feddwl dros eu gwahoddiad caredig.

Ben bore drannoeth dyma fi'n hel fy nhraed am y BBC ym Mangor i weld fy hen ffrind, Ifan O. Williams. Roedd Ifan O y pryd hwnnw yn cynhyrchu rhaglenni ar yr annisgwyl a'r paranormal; cyfres dan yr enw 'Llwybrau'r Mynydd'. Rydw i'n cofio fod ganddo un hanes am hen bopty oedd heb ei agor ers can mlynedd, a neges arno yn melltithio unrhyw un a feiddiai wneud hynny. Stori arall am sgerbwd môr-forwyn oedd gan rywun ym Mlaenau Ffestiniog; ac roedd o'i hun wedi cael ei ddychryn am ei fywyd gan ryw hen wrach yn y Bala. Fe ddywedais i wrtho am yr hen bregeth wirion roeddwn i wedi'i thraddodi ac fel roedd diaconiaid Capel yr Ysbrydegwyr wedi bod yn fy ngweld ac wedi fy ngwadd i — neu wedi rhoi sialêns imi — i ddod i'w seons.

'Paid ti â mynd ar gyfyl eu capel siop *chips* nhw,' meddai Ifan. 'Mi fydd y criw yna wedi rhoi weiars ar bob peth ac mi fyddan nhw wedi gwneud recordia o bobol yn udo a phob cythral o bob dim. Mi ddychrynith rheina dy enaid di. Gad hyn i mi.'

Wel, doeddwn i ddim yn meddwl am hanner munud y buasai'r dynion bach boneddigaidd a ddaeth i 'ngweld i y noson cynt yn gwneud dim o'r pethau yma. Ond ddwedais i ddim byd wrth Ifan. Doeddwn i ddim ond yn rhy falch o adael yr holl drefniadau yn ei law o.

Dridiau yn ddiweddarach, dyma Ifan O ar y ffôn. Pob peth wedi'i drefnu. Roedd o wedi dod o hyd i dŷ lle'r oedd ysbrydion yn troelli trwy'i gilydd fel mecryll. Ond doedd o ddim am ddweud wrtha i na neb arall lle'r oedd y tŷ yma. Roedd o'n gwybod sut i ddod o hyd iddo ac roedd o wedi trefnu inni gael mynd yno y nos Iau ddilynol. Roedd o hefyd, drwy'r BBC, wedi cael gafael ar y ddau *medium* gorau yn y wlad — y ddau o Birmingham. Roedd y ddau yma yn dod ar y trên, ac i fod i gyrraedd y Rhyl erbyn chwarter i saith y nos. Roedd Ifan a minnau ac Elwyn Thomas, cynhyrchydd rhaglenni ysgolion y BBC, i drafaelio i'r Rhyl yng nghar Ifan, ac efo ni Emrys Williams, peiriannydd y BBC, a'i gêr recordio efo fo. Roedd Ifan hefyd wedi gwahodd dau o aelodau Cymdeithas y *Psychic Research* i fod yno fel arbenigwyr, ac fe ddywedodd wrtha i yn reit swta y cawn innau wahodd y dynion capel siop *chips* os oeddwn i eisiau, ond iddyn nhw drefnu eu cludiant eu hunain.

Roedd pawb i gyfarfod y tu allan i stesion Rhyl am chwarter i saith, codi'r *mediums* o fan'no, ac yna fe fyddai car Ifan yn arwain yr orymdaith at dŷ'r ysbryd.

Roedd hi'n noson ddychrynllyd o frwnt: hen eirlaw iasoer a sŵn taranau yn y pellter. Rhyw saith neu wyth o bobol ddaeth o'r stesion, gan godi'u coleri yn erbyn y tywydd a cherdded ymlaen i'r tywyllwch, gan adael dau ar ôl wrth y fynedfa. Stwcyn bach sgwâr, canol oed oedd un; côt fawr ddu amdano, ac ar ei ben het fowler ddu. Dyn ifanc oedd y llall, chwe throedfedd neu fwy, a mwstásh bach fel Clark Gable ganddo; côt raglan laes a het drilbi felen. Fe gipiodd Ifan allan i'w nôl nhw a'u gwthio'n ddigon diseremoni i gefn yr *Austin Princess*. Wrth fynd yn y car roedden ni'n siarad efo'r *mediums*, ac wrth gwrs un o'r cwestiynau cyntaf oedd, oedden nhw wedi bod yng Nghymru o'r blaen? Oedden. Roedd y ddau wedi bod — y bychan ar wyliau yn Aberdyfi a Clark Gable wedi gweithio am un haf mewn gwersyll gwyliau ym Mhrestatyn. Roedd hi'n berffaith amlwg nad oedd yr un o'r ddau wedi cael llawer o grap ar y Gymraeg yn ystod eu hymweliadau. 'Iecyd da' a 'Croeso i Cwmri' oedd eu huchelnodau yn yr iaith. Fe ddaru ni ganfod mai cyfrifydd oedd yr un mewn het fowler, a'r llall yn achubydd bywyd mewn pwll nofio.

Roedd Ifan erbyn hyn yn craffu drwy ffenest y car i geisio gweld y tŷ, ac o'r diwedd dyma arafu a rhoi arwydd i'r rhai oedd yn dilyn i ddod i fyny'r lôn fach a pharcio'r tu allan. Tŷ dwbwl mawr oedd o, ac yn amlwg roedd yna ddisgwyl mawr amdanon ni, oherwydd cyn i neb fedru cnocio ar y drws roedd o wedi'i agor led y pen a dwy foneddiges, oedd efallai yn tynnu am eu trigain, yn aros i'n croesawu ni.

Paned o de wedyn, a thipyn o hanes y lle. Dwy chwaer oedd perchnogion y tŷ — Madge ac Eileen. Roedd gŵr Madge hefyd yn y tŷ ond roedd o yn ei bedwar-ugeiniau ac roedd y merched wedi medru'i berswadio i fynd i'w wely'n gynnar rhag iddo fo fod o dan draed.

Ifan wedyn yn cyflwyno pawb i'w gilydd, ac rydw i'n cofio iddo ddweud wrth y *mediums* eu bod nhw'n sefyll yn y tŷ mwyaf bwganllyd yng Ngogledd Cymru, a'r mwyaf o'r ddau yn cydio yn ei ben a'i ysgwyd, cyn dweud: '*You can say that again, matey*'.

Y merched wedyn yn dechrau dweud wrthyn ni am yr ysbrydion oedd i'w gweld a'u clywed yn y tŷ — catalog maith ohonyn nhw. Ambell waith roedden nhw'n gallu clywed sŵn plentyn yn crio, yn torri'i galon fach yn llefain, ac roedd Madge wedi gweld, liw golau dydd, berson neu offeiriad yn sefyll ar y lawnt ac yn cusanu merch ifanc hynod o dlos, ond roedd yna olwg anhapus a digalon iawn ar y ddau. Roedd yna hefyd ŵr anferth o dew a chanddo wraig fach eiddil yr olwg yn cerdded i fyny ac i lawr y grisiau. Ond yr ysbryd oedd bron wedi dod yn un o'r teulu oedd yr un oedden nhw'n ei alw yn 'Rwy'n dŵad'. Hen ŵr bach oedd hwn — un bychan,

bychan, medden nhw — ac yn aml iawn fe glywech ei lais bach yn dod o gyfeiriad y seler ac yn dweud, 'Rwy'n dŵad, rwy'n dŵad,' ac yna'n diflannu i gornel bellaf y stafell fyw.

Ar ôl clywed y straeon a darfod y paneidiau te, dyma'r *mediums* yn hel eu paciau ynghyd ac yn hwylio i gychwyn pethau. Y dyn bach het fowler ddechreuodd. Fe glapiodd ei ddwylo am ddistawrwydd ac yna, 'Foneddigion a boneddigesau,' meddai o, yn union fel petai o'n arwain cyngerdd.

'Foneddigion a boneddigesau. Rydw i am i chi i gyd geisio ymlacio, oherwydd does yna ddim byd yn mynd i ddigwydd yma heno ddaw â niwed i unrhyw un ohonom. Does dim angen diffodd y golau, ac rydw i eisiau i bawb ymddwyn yn hollol naturiol — smociwch, os mynnwch, symudwch o gwmpas, gwnewch eich hunain yn hollol gartrefol. Dim ond dwy reol sydd 'na. Mi welwch y bydda i a'm cyfaill yn mynd i drans o dro i dro. Pan welwch chi ni yn y stad yma rydw i am i chi forol peidio â'n cyffwrdd ni. A'r ail reol ydi hon, os teimlith un ohonoch chi ei fod yntau yn mynd i drans, teimlo rhyw drwmgwsg yn dŵad, yna peidiwch ag ymladd yn ei erbyn — gadewch i'ch hun fynd.' Yna dyma fo'n troi a rhoi rhyw nod bach i'w bartner, a hwnnw wedyn yn codi ar ei draed, rhoi'i ddwylo efo'i gilydd fel petai o'n mynd i'n harwain ni mewn gweddi, ac efo rhyw lais fel llais mynach yn llafarganu, dyma fo'n cyfarch yr entrychion:

'Mae rhai yma heno sydd heb brofiad o bresenoldeb o'r tu hwnt i'r llen. Er eu mwyn nhw rydym yn gofyn am arwydd . . .' Cyfeiriad oedd hwn, siŵr gen i, at

Ifan O, Elwyn Thomas, Emrys Williams a minnau, oherwydd roeddwn yn weddol sicr fod y tri gŵr bonheddig o gapel yr ysbrydegwyr ym Mangor a'r ddau o gymdeithas y *psychic research* wedi cael y math yma o brofiad o'r blaen. Cyn iddo ddarfod siarad bron iawn, roedd yna ddau jwg dresden oedd yn eistedd o bobtu'r silff ben-tân yn cychwyn i fyny ar eu siwrne ac yn cyfnewid lle, gan basio'i gilydd yn daclus yn yr awyr. Fe gymerodd yr un oedd gynt ar y chwith ei le'n barchus ar ochr dde y silff ben-tân, a'r llall yn glanio ar y chwith. Bron cyn iddyn nhw gael disgyn i'w lleoedd newydd, roeddwn i ar fy nhraed ac yn eu harchwilio nhw. Eisiau gweld oedd yna weiars neu rywbeth yn sownd ynddyn nhw roeddwn i. Ond doedd yna ddim byd yn sownd yn yr un o'r ddau jwg. Rhyw damaid bach i aros pryd oedd hwn, ac fe welais i'r ddau ddyn o'r *psychic research* yn setlo'n ôl yn eu cadeiriau. Roedd hon yn mynd i fod yn noson fythgofiadwy.

Dyma fi rŵan yn gweld y dyn bach het fowler yn llacio'i dei am ei wddw, a'i lygaid o'n dechrau troi at i fyny fel nad oedd ond y gwyn yn dangos. Trans dwfn, meddwn i wrthyf fy hun. Yna, dyma fo'n cydio yn ei ben ac yn hanner griddfan, hanner crio — rhyw lefain fel babi. Pan ddaeth o allan o'i drans roedd o'n cwyno fod ganddo gur pen dychrynllyd, a'i fod o am orffwys. Ond cyn iddo gael cyfle i orffwys roedd y *medium* ifanc wedi cychwyn arni. Roedd hi fel syrcas o Rwsia — cyn bod un act drosodd ar y llwyfan, roedd yna un arall yn cychwyn ar y cyrion.

'Pwy wyt ti, gyfaill?' meddai un *medium* wrth yr un oedd mewn trans.

'Fi yw'r Tad Gruffydd,' oedd yr ateb, ac roeddwn i'n gwybod ein bod ni drwodd at yr Offeiriad druan oedd wedi cael ei weld yn yr ardd yn cusanu'r ferch ifanc. A'r Tad Gruffydd oedd o hefyd, nid y Tad O'Leary neu'r Tad O'Donovan. Roedden ni yn ôl yn y cyfnod cyn y Refformasiwn. Holi a holi wedyn. Pwy oedd y ferch? Beth oedd offeiriad Eglwys Rufain yn ei wneud yn cusanu merch ifanc? Un o ble oedd y ferch? Beth oedd ei henw? Deuai'r atebion ychydig yn ddistaw, mewn llais dipyn yn euog. Roedd hi'n weddol eglur i ni i gyd fod gan yr offeiriad druan feistres a bod y ddau mewn cariad mawr â'i gilydd, a'u bod nhw un ai yn byw efo'i gilydd yn y tŷ yma neu yn cyfarfod yn ddirgel yma. Dyna un o'r pethau nad ydw i'n eu hoffi am hela ysbrydion — mae o'n tueddu i wneud rhywun yn ddigywilydd ac yn anfoesgar. Pa hawl oedd gynnon ni i holi'r dyn druan am ei gyfrinach fel hyn? Fuaswn i ddim yn breuddwydio croesholi ffrind i mi oedd efallai yn anffyddlon i'w wraig. Felly, pa hawl oedd gynnon ni i gymryd mantais ar y creadur bach yma, dim ond am ei fod o wedi marw?

Dyma gael rhyw seibiant bach rŵan, a phaned. Dynion y *Psychic Research* wrth eu boddau, a'r ysbrydegwyr o Fangor wedi cael noson i'w chofio. Ond doedden ni ddim eto wedi dod o hyd i'r prif ysbryd, yr hen 'Rwy'n dŵad'.

Ar ôl clirio'r llestri te, dyma'r *medium* het fowler yn dechrau ysgwyd ei hun unwaith eto, a gwyn ei lygaid o'n dechrau dangos. Rydw i wedi dweud eisoes nad oedd o yn ddyn mawr, ond fel roeddwn i'n edrych arno yn y gadair rŵan roedd o fel petai o'n cwtsio ac yn mynd yn fychan o flaen fy llygaid. Roedd yna olau iawn yn y stafell ac nid tric oedd o, ond roedd y dyn canol oed yma, y stwcyn bach tew yma, i'w weld yn newid o flaen fy llygaid ac yn mynd i edrych fel hen ŵr bach egwan, eiddil. Cyn bo hir, dyma lais yn dod o'r corffyn bach yn y gadair — nid llais y cyfrifydd o Sais o Birmingham ond llais yr hen ŵr bach, 'Rwy'n dŵad'.

'Be gythral mae'r hen Saeson yma'n ei wneud yn fy nhŷ i?' meddai'r hen lais bach gwichlyd. A dyma fo'n dechrau siarad efo ni mewn Cymraeg croyw — Cymraeg Sir Ddinbych. Ac yn ôl Elwyn Thomas, oedd yn awdurdod, roedd o'n defnyddio hen idiomau Cymraeg oedd bellach wedi mynd ar ddifancoll, hyd yn oed yn Sir Ddinbych. Roedd Ifan O wedi dweud er y cychwyn fod y *mediums* yr oedd y BBC yn eu cyflogi y rhai gorau yn y wlad. Ymhen blynyddoedd wedyn y deuthum i ddeall fod yna enw arbennig ar y math yma o ymlacwyr. *Mediums* trawsffigurol oedd y rhain. Trawsffigurol neu *transfiguration* am eu bod yn gallu gwagio eu 'bod' neu eu 'henaid' neu eu 'hego' eu hunain allan o'u cyrff, ac ar ôl ei wagio, gadael i ysbryd neu ego person o'r ochr draw ddod i mewn i'r fframwaith gwag a'i ddefnyddio. Roedd gynnon ni rŵan gorff cnawdol cyfrifydd o Birmingham, ac oddi mewn iddo ysbryd yr hen gymeriad bach, 'Rwy'n dŵad'.

'*I don't understand him. Does anyone in the room understand what he is saying?*' meddai'i ffrind o. Atebodd neb. Fe edrychais i ar Ifan O. Roedd o â'i lygaid at i lawr ac yn prysur dapio sigarét ar baced Capstan. Roedd Elwyn yn edrych ar rywbeth diddorol ar y nenfwd, ac roedd Emrys wrthi'n ddygn yn ceisio gosod tâp newydd yn ei recordydd.

Roeddwn i'n nabod Ifan O yn o lew erbyn hyn. Dyma'r dyn oedd wedi dweud wrtha i, 'Paid ti â mynd ar eu cyfyl nhw; mi fyddan nhw wedi weirio pob peth ac mi fydd gynnyn nhw bob math o driciau i godi ofn arnat ti.'

Beidio, meddwn i wrthyf fy hun, fod Ifan O wedi weirio pethau ac wedi gosod rhyw fath o *Candid Camera* er mwyn cael rhaglen sbort i'r BBC — ac mai testun y rhaglen sbort oedd Aelwyn ei ffrind?

Gan ddal i edrych ar Ifan, fe ddywedais i wrth y dyn mai siarad Cymraeg yr oedd yr hen ŵr a 'mod i'n ei ddeall o. Y fi rŵan oedd y cyfieithydd, a dyma gael cyfarwyddiadau gan y dyn mawr beth i'w ddweud.

'Aelwyn ydi f'enw i,' meddwn i wrth yr hanner ysbryd hanner dyn yma yn y gadair. 'Ac wedi dŵad yma i'ch helpu chi rydan ni.'

'Helpu? Helpu? Be gythral wyt ti'n feddwl efo dy helpu? Dydw i ddim isio help gen ti na neb arall,' meddai'r hen lais gwichlyd yn ôl. Ond, ymhen tipyn, fe ddofodd yr hen fachgen ac fe gawson ni sgwrs fach reit ddel, a'r *medium* mawr yn dweud wrtha i yn Saesneg beth i'w ofyn i'r hen ŵr yn Gymraeg. Eban Jenkins oedd ei enw, meddai o, ac roedd o'n naw deg oed, ond trwy drugaredd yn dal i fedru rhedeg y dafarn, lle'r oedden ni, ar ei ben ei hun. Roedd o wedi colli Gwen, ei wraig, dros ddeng mlynedd ar hugain yn ôl, ond doedd yna ddim diwrnod yn mynd heibio nad oedd o yn hiraethu amdani. Roedden nhw wedi cael tri o feibion, ond roedden nhw wedi colli'r ieuengaf pan oedd o'n saith oed ac roedd y mab canol wedi boddi ar y môr pan oedd o'n dair ar hugain. Doedd yr hen Eban ddim eisiau siarad gormod am y mab hynaf, oherwydd am ryw reswm neu'i gilydd roedd arno fo ofn y mab yma ac fe ddaru ni fethu â ffeindio pam. Fe ofynnwyd i mi ofyn iddo fo lle'r oedd Gwen ei wraig wedi'i chladdu.

'Wel, yn y fynwent y tu ôl i'r tŷ 'ma,' meddai'r hen Eban. 'Lle arall y baset ti'n meddwl ei bod hi wedi'i chladdu?'

A'r foment honno y digwyddodd y peth. Roedd yna ddau gynhyrchydd drama'r BBC yn y stafell ar y pryd, ac rydw i'n siŵr y buasai'r ddau yn cydweld â mi eu bod nhw'r foment honno wedi gweld un ai'r tamaid gorau o actio iddyn nhw'i weld yn eu bywydau, a hynny gan ddau *medium* o Sais o Birmingham, neu eu bod nhw wedi gweld drama go iawn yn cael ei chwarae gan ddau gymeriad o'r byd tu hwnt i'r llen.

Roedd yr ail *medium* wedi cynhyrfu erbyn hyn, ac yn gweiddi arna i, 'Dwedwch wrtho fod Gwen ei wraig yn dod i'w nôl i fynd â fo adre efo hi.'

Fel yr oedd o'n dweud hyn wrtha i, fe welwn ei fod yntau rŵan yn mynd i ymuno â'i bartner mewn trans, ac yn union fel roedd yr un bychan wedi rhoi'i gorffyn i Eban roedd y partner yn gwneud lle i Gwen ddod i'w gorff yntau. Doedd dim i'w wneud ond ufuddhau.

'Mae Gwen ar ei ffordd yma i'ch nôl chi ac i fynd â chi adre gyda hi,' meddwn i wrth Eban.

Hwnnw wedyn yn codi'i gloch ac yn gweiddi nerth esgyrn pen y *medium* bach, 'Be gythral sy'n bod arnat ti, y ffŵl gwirion iti? Mi rydw i wedi deud wrthat ti fod

Gwen wedi'i chladdu yn y fynwent yma y tu cefn inni ers deng mlynedd ar hugain, a rŵan dyma ti'n deud . . .'

Fe gododd yr hen gorffyn bregus o'i gadair a chodi ei olygon at gornel bellaf y nenfwd. Yna, dyma fo'n cerdded at ganol wal y gegin a'i freichiau ar led.

'Gwen, O Gwen bach, fy nghariad i. Diolch i ti am ddŵad, Gwen. O, 'nghariad bach annwyl i!'

Ac ar y llecyn yma, yn ein gŵydd ni i gyd, rhwng y cwpwrdd gwydr a'r cloc mawr, roedd yr hen ŵr Eban a'i wraig Gwen yn cofleidio'i gilydd, ac roedd yna ddagrau llawenydd yn powlio i lawr gruddiau benthyg yr hen Eban pan ddeallodd o fod Gwen wedi dod i'w nôl o i fynd adre. 'Digwyddodd, darfu, megis seren wib . . .'

Fe esboniodd dynion y *Psychic Research* wrthyn ni ein bod ni wedi cael gweld ysbryd caeth *(earthbound)* Eban Jenkins yn cael ei ryddhau, a'i arwain gan Gwen i'r byd tu hwnt i'r llen. Roedd gan bob un o ysbrydegwyr Bangor glamp o hances boced i sychu'r dagrau.

Ond doedd Mr Becky o'r *Psychic Research* ddim yn rhyw hapus iawn. Doedden ni, medda fo, ddim wedi cael digon o wybodaeth gan Eban cyn gadael iddo fo fynd, ac roedd o'n awyddus, fel gwyddonydd, i gael profi ac ailbrofi gwirionedd yr hyn yr oedden ni wedi'i glywed — lle'n union oedd y bedd; hanes marw'r plentyn saith oed, a'r ddamwain a ddigwyddodd i'r ail fab. Oedd y ddamwain wedi'i chroniclo gan y cwmni neu gan grwner tybed?

Ond ar ôl paned fach arall o de, fe gododd pawb ei galon unwaith eto. Roedd y *mediums* yn dweud bod posib dod dros y diffygion hyn oherwydd roedd yna, medden nhw, yr ochr arall i'r llen nifer fawr o dywyswyr neu *guides* a fyddai'n fodlon iawn ein helpu i gael gwybodaeth. Efallai y gallai un o'r *mediums* gael gafael ar un o'r ysbrydion cyfeillgar yma. Y tro hwn, y *medium* ifanc ddechreuodd lacio'i dei a throi'i lygaid. Roeddwn i wedi rhoi hwn, o'r munud cyntaf y gwelais o, yn ŵr oedd dros ddwylath, ond fel roedd o'n sefyll o'n blaenau ni rŵan roedd o i'w weld yn tyfu i fod fel cawr yn ein plith ni, ac roedd ei wefusau o'n twchu ac yn sticio allan. Yna, â'i freichiau wedi'u croesi ar draws ei frest ac yn sefyll o'n blaenau ni fel rhyw gawr mawr, dyma fo'n ein hannerch mewn llais dwfn fel Paul Robeson:

'Fi yw Zomba. Zomba falch o weld pawb. Zomba dod i helpu.' A dyma ni yng nghwmni Zomba y Zulu.

Dyn y *Psychic Research* oedd y cyntaf i ymateb. 'Becky ydw i,' meddai o. 'Mi rydan ni wedi cyfarfod o'r blaen.'

'Zomba falch o weld Becky,' oedd yr ateb.

Yna, dyma ni'n rhoi ein henwau, er na fedra i ddim cofio i bwt o ddim ddod o enau fy nhri chyfaill.

Dyma ofyn yn gyntaf a oedd yn bosib galw Eban Jenkins yn ôl.

'Na, fo yn cysgu tri diwrnod,' meddai Zomba.

Roeddwn i'n synnu tipyn bach fod Zomba, oedd yn byw yn y tragwyddol bresennol, yn gallu dirnad y syniad o dri diwrnod. Ond allwn i ddim peidio â meddwl chwaith am yr hanes yn yr efengylau fod y Bendigaid Arglwydd wedi bod yn y bedd am dri diwrnod.

Dyma ofyn wedyn gwestiwn ar ôl cwestiwn i Zomba, a'r creadur yn gwibio'n ôl a blaen dros yr Iorddonen, fel petai'n mynd i chwilio i ryw lyfrgell neu gyfrifiadur ysbrydol, gan ddychwelyd aton ni bob tro efo'r atebion. Roedd Eban yn naw deg pan fu farw, meddai Zomba, ac fe fu farw yn 'wyth O'. Roedd Zomba yn cael tipyn o drafferth efo ffigurau. Roedd Gwen, meddai, wedi marw 'un cant'. I ddechrau, roedden ni'n meddwl mai dweud roedd o fod Gwen yn gant oed pan fu hi farw, ond dweud roedd o ei bod hi wedi marw gan mlynedd yn ôl a bod Eban wedi bod yn ŵr gweddw unig am ddeng mlynedd ar hugain ar ei hôl.

Dyma ofyn wedyn am y mab oedd wedi boddi.

'Enw Huw, fo boddi ar y môr,' meddai Zomba.

'Beth oedd enw'r llong?'

'Enw llong *Anna Marie*.'

'O ba borthladd?'

'O borthladd Bryste.'

Ac felly ymlaen. Ni'n holi a Zomba'n ateb. Fe wnes i fagu digon o blwc o'r diwedd i ofyn i Zomba am yr hogyn bach saith oed roedd y merched wedi'i glywed yn crio ac a oedd hefyd wedi rhoi'r fath gur pen i'r *medium* het fowler.

'Fo marw, beth chi galw, mene — mene — menegitis,' meddai Zomba.

Roedd Zomba'n cael tipyn o drafferth efo'r gair *meningitis*, ond roeddwn i'n edmygu ei wybodaeth feddygol o. Roedd yn amlwg mai sôn yr oedd o am blentyn bach teulu'r Jenkins oedd wedi marw'n saith oed.

Drannoeth fe aeth Ifan O a'r dynion o'r *Psychic Research* yn eu holau i'r tŷ i wneud eu hymchwil. Roedd yna ddigon o dystiolaeth mai tafarn oedd wedi bod yno tan y blynyddoedd cyn y rhyfel, ac fe ddywedodd

Madge ac Eileen beth diddorol arall wrthyn nhw. Cyn iddyn nhw gymryd y tŷ a gwneud gwelliannau iddo, roedd y staer i'r llofftydd i mewn yn y stafell fyw. Roedd hyn yn golygu fod Gwen, pan ddaeth hi i nôl Eban, wedi defnyddio'r hen staer — ei grisiau'i hun — ac nid y rhai modern yr oedd y tenantiaid newydd wedi'u rhoi.

Roedd yn amlwg fod yr hen ŵr yn dal yn dafarnwr wrth reddf. Y gri, 'Rwy'n dŵad, rwy'n dŵad,' oedd cri'r hen dafarnwr o'r seler wrth glywed sŵn traed cwsmer yn y bar.

Ond y darganfyddiad mawr oedd y bedd. Fe ddywedodd Ifan fod y fynwent, fel y dywedodd yr hen Eban, yr ochr bellaf i'r clawdd y tu ôl i'r tŷ. Ac roedd y criw ymchwil wedi brwydro trwy ddrain a mieri hyd nes dod o hyd i'r bedd, ac arno'r geiriau:

Gwen Jenkins
Annwyl Briod Eban Jenkins
Bu farw 1850 59 oed
Hefyd Ei gŵr Eban Jenkins
Bu farw Awst 3rd 1880
yn 90 oed

Roedd dynion y *Psychic Research* wedi taclo busnes y boddi. Oedd, *roedd* yna long bysgota yn hwylio o Fryste ac *roedd* yna gofnod fod morwr, Huw Jenkins, wedi syrthio dros ei bwrdd ac wedi boddi yn y flwyddyn 1846. Roedden ni'n falch nad oedd neb wedi holi rhagor pam roedd ar Eban gymaint o ofn ei fab hynaf. Mae yna beryg mewn bod yn rhy fusneslyd.

Fe gefais i un esboniad arall gan Ifan. Y rheswm pam roedd o ac Elwyn ac Emrys wedi bod mor ddistaw a nacaol y noson cynt oedd fod ar y tri, ar ôl clywed y *medium* yn dweud y gallai unrhyw un fynd i drans, ofn yn eu calonnau y buasai hynny'n digwydd iddyn nhw.

Roedd hi wedi bod yn noson fythgofiadwy, ond y peth rhyfedd oedd nad oedd yr un ohonon ni eisiau siarad am y peth wedyn, ac er 'mod i'n gwybod y buasai'r BBC yn talu ceiniog fach go dda amdani fel sgript, allwn i na'r un o'r lleill fynd ati i sgwennu pwt, a doedd yna ddim sŵn o fath yn y byd i'w gael ar dapiau Emrys.

Ugain mlynedd yn ddiweddarach, fe ofynnodd John Roberts Williams i mi baratoi'r stori ar gyfer 'Rhwng Gŵyl a Gwaith' ac fe roddodd bum munud ar hugain o amser i mi ei dweud hi, a thâp ohoni yn bresant ar y diwedd — ac mae hwnnw gen i o hyd.

Ôl-nodyn

Ar y noson fawr yn y tŷ ysbryd, pan oedden ni i gyd yn paratoi i fynd ar ein siwrne gartre fe glywson ni andros o sŵn yn dod o gyfeiriad y llofft.

'Diawcs, dyna Owen,' meddai Madge. 'Gobeithio nad ydi o wedi disgyn o'i wely. Mi a i i fyny i weld ydi o'n iawn.'

Funudau'n ddiweddarach, dyma hi i lawr a'r hen ŵr ar ei braich. Fe'i rhoddodd o i eistedd yn ei gadair wrth y bwrdd.

'Owen,' meddai Madge, 'mi rydach chi'n cofio'r hen ŵr — "Rwy'n dŵad". Wel, mae o wedi'n gadael ni bellach, Owen. Mae'r gwŷr bonheddig 'ma wedi bod yma drwy'r nos ac maen nhw wedi medru'i ryddhau i fynd efo'i wraig i'r Nefoedd.'

Ar hyn, fe ddywedodd yr hen ŵr y peth rhyfeddaf wrthyn ni.

'Wel,' medda fo, 'mi fydd yn chwith iawn gen i ar ei ôl o. Mi fyddai'r genod ma'n mynd i Ddinbych i'r pictiwrs ar nos Sadwrn, ac mi fyddwn innau'n eistedd i ddisgwyl amdanyn nhw'n ôl wrth y bwrdd yn y fan yma. Ac mi fyddwn i'n tapio'r hen fwrdd efo blaen fy mysedd. Ac yna, cyn pen dim, mi fyddai yntau'n dŵad ac yn eistedd ar y gadair gyferbyn yn y fan yna, ac mi fyddai yntau'n tapio efo'i fysedd. Fydden ni byth yn dweud yr un gair wrth ein gilydd — ond mi roedd o'n gwmpeini.'

Ac roedd o'n gychwyn ymchwil oes i mi.

Nodi

Gwae'r neb sy'n ceisio gwerthu rhywbeth — boed ferfa, neu goets bach, neu ganeri mewn caets — ac yn rhoi disgrifiad anghywir o'r hyn y mae'n ei werthu. Fe ffeindith y creadur bach ei hun o flaen ei well cyn iddo gael amser i boeri. Fe ffeindith hefyd y bydd 'ei well' yn edrych arno fel un sy'n fwy esgymun na'r lleidr a'r llofrudd. Mae torri Deddf Disgrifio Nwyddau yn drosedd hynod o fawr.

Yr unig bobol sy'n gallu torri'r ddeddf yma, cyn belled ag y gwela i, ydi asiantwyr gwerthu tai. Bob tro y mae gan y rhain dŷ i'w werthu maen nhw'n mynd yno ac yn gwneud twll yn yr ardd ffrynt ac yn gosod andros o bolyn yn y twll i ddweud fod y tŷ ar werth a'i fod yn wag o dentantiaid. '*With Vacant Possession*' ydi eu hoff derm nhw. Ond mi wn i am lawer iawn sydd wedi cael eu twyllo gan y bobol hyn. Prynu tŷ gan feddwl ei fod o'n wag, a chanfod ar ôl symud i mewn fod yna nifer fawr o denantiaid ysbrydol yn rhannu'r tŷ efo nhw.

Pan fydda i'n dweud wrth bobol am yr holl droeon yr ydw i wedi cael fy ngalw allan i dŷ bwgan, y cwestiwn maen nhw'n ei ofyn ydi sut rydw i'n dod i wybod am gymaint o bobol sy'n cael eu poeni gan ysbrydion, a hwythau heb fod yn gwybod am neb. Yr ateb, wrth gwrs, ydi fy mod i yn offeiriad a hwythau ddim.

Fe wn i am dŷ ffarm heb fod ymhell o'm cartre, lle

mae rhyw hen goblyn bach o boltergeist yn cael sbri o dorri llestri o leiaf deirgwaith y flwyddyn. Y llestri y mae 'hi' wedi'u prynu sy'n cael eu taflu'n strim stram strellach ar hyd y tŷ bob tro; nid y llestri gwreiddiol sy'n perthyn i'r tŷ ffarm, llestri'r hen bobol. Ond mae hi'n costio dros ganpunt i brynu llestri newydd ar ôl direidi'r hen gena bach yma.

Ceir eraill yn dod i'r Ficerdy yn Llandegai i grefu arna i i ddod i ymresymu ag ysbrydion sy'n aflonyddu arnyn nhw. Ond fuasai'r bobol bach yma ddim yn breuddwydio dweud dim wrth gymdogion, nac yn amal iawn 'chwaith wrth eu teulu agos. Pan ydych chi wedi talu £50,000 am eich *semi* bach, peth ffôl fuasai sôn wrth neb fod yna fwgan ynddo sydd yn eich cadw'n effro bob nos. Fe â'r tŷ i lawr yn ei bris gryn fil o bunnau bob tro y caiff y stori honno ei hailadrodd.

Ond mae dweud wrth offeiriad yn wahanol rywsut. O leiaf, meddai pobol wrthyn nhw'u hunain, fe ddylai fod gan offeiriad gydymdeimlad; wnaiff o ddim chwerthin am ben rhywun (achos rydych chi'n teimlo'n dipyn o ffŵl yn gorfod cyfadde fod arnoch chi ofn ysbryd yn eich tŷ eich hun.) Ac wedyn, meddai pobol am offeiriad, mae o'n dweud yn rhywle am offeiriad a chyfffes, ac na chaiff offeiriad ddim ailadrodd yr hyn a ddywedir wrtho. Ac efallai, pwy a ŵyr, fod yna ryw fath o wasanaeth efo llyfr a chloch a channwyll ac ati . . . Felly, dros y blynyddoedd, rydw i wedi dod i wybod am sawl tŷ ysbryd, ac yn amal pan fo'r tenant ysbrydol yn methu â chyd-fyw efo'r tenant daearol, rydw i wedi cael fy ngalw i mewn fel rhyw fath o reffarî.

Mae yna rai pobol sydd wedi eu geni gyda phŵerau

rhyfeddol. Mae'r rhain, rywsut, yn gallu tiwnio'u synhwyrau i'r byd yma ac i'r byd tu hwnt i'r llen. Y rhain yw'r bobol seicic. Maen nhw'n gallu gweld pethau nad ydi pobol eraill yn eu gweld, a chlywed pethau nad ydi eraill yn eu clywed. Ond, dros y blynyddoedd, rydw i wedi canfod nad yw'r doniau yma gen i o gwbwl. Dyna pam, bob tro y bydda i yn mynd i gyfarfod ag ysbryd, y mae'n rhaid i mi fynd â *medium* efo mi.

Y contract go-iawn cyntaf a gefais i oedd un mewn tŷ yng Nghaergybi, tŷ rhes mewn stryd grand hen-ffasiwn, yn 1950.

Cwpwl ifanc oedd yn byw yn y tŷ, Peter a Bridget, ac roedd ganddyn nhw un hogyn bach tair oed a chlamp o forgais. Bridget ddywedodd yr hanes. Roedden nhw'n gadael i Oliver, yr hogyn bach, aros i lawr hyd nes y deuai ei dad adre am chwech o'r gloch. Byddai ei dad ac yntau wedyn yn cael tipyn o hwyl a sbri efo'i gilydd, ac yna bath a stori ac i'r gwely erbyn tua saith. Yna, fe fyddai Peter a Bridget yn cael eu swper ac, fel rheol, byddai'r llestri wedi'u golchi a pharatoadau'r bore wedi'u gwneud cyn newyddion naw ar y radio.

Rhyw chwe wythnos cyn i Bridget ddod i 'ngweld i, roedd Oliver wedi dechrau cast o ddod i lawr y grisiau ac i'r stafell fyw bob nos, fel yr oedd Big Ben yn taro naw i ddynodi cychwyn y newyddion. Fe fyddai'n dod i lawr a'i lygaid ynghau a'i fawd yn ei geg a sefyll yng nghanol y stafell, heb ddweud dim. Ar y cychwyn fe dybiai Bridget mai cerdded yn ei gwsg yr oedd o, ac am rai nosweithiau fe fu hi'n ei godi'n dyner ac yn mynd â fo'n ôl i'w wely.

Ond ar ôl rhai nosweithiau fel hyn dyma'r ddau yn dechrau teimlo y dylid gwneud rhywbeth. Un noson, am chwarter i naw, dyma Peter i fyny i lofft y bychan yn ddistaw bach a chael ei fod o'n cysgu'n drwm a sŵn sugno bawd uchel dros y stafell. Fe arhosodd Peter efo fo tan chwarter wedi naw, a'r noson honno wnaeth o ddim deffro. Yr un patrwm wedyn y ddwy noson ganlynol, ac Oliver yn dal i gysgu a sugno'n hapus drwy'r nos. Ond, y noson gyntaf i Peter beidio â mynd i fyny, daeth Oliver bach i lawr fel o'r blaen, ei lygaid ynghau a'i fawd yn ei geg.

A'r noson yma fe gymerodd Peter yr hogyn ar ei lin a disgwyl iddo agor ei lygaid a deffro. Yna dyma fo'n dweud wrtho,

'Deud wrth Dadi, cariad, pam rwyt ti'n codi fel hyn bob nos ac yn dod i lawr y grisiau?'

A dyma'r bychan yn ateb,

'Am fod yr hen ddyn bach yn deud wrtha i, Dadi.'

'Hen ddyn bach? Pa hen ddyn bach?'

'Yr hen ddyn bach sy'n gwisgo crys nos hir a chap Nodi am ei ben. Mae o'n dod at 'y ngwely i ac yn fy neffro i ac yn deud, "Deffra, deffra, hogyn bach, a dos i lawr y grisiau at dy Fami a Dadi. Ffwrdd â ti! Shw, shw, shw, yn reit sydyn rŵan!" Ac wedyn rydw i'n codi ac yn dod i lawr.'

Ar ôl hyn y daeth Bridget i'm gweld i, ac i ofyn am help.

Ychydig nosweithiau'n ddiweddarach, dyma fy ffrind y *medium* a minnau'n cyrraedd y tŷ, a'm ffrind yn awgrymu mai da o beth i ddechrau fuasai mynd i fyny i stafell Oliver. Dyna wnaethon ni — mynd i fyny yn ddistaw ar flaenau'n traed. Roedd Oliver yn cysgu'n sownd yn ei wely bach yng nghornel bella'r stafell. Y *medium* wedyn yn cerdded at y gwely ac yn sefyll yn fan'no am funud neu ddau, ac yn mynd wedyn i bob cornel yn ei thwrn. Dyma fo'n sibrwd wrthyn ni wedyn ei fod o'n awgrymu symud y gwely i'r gornel gyferbyn. Peter a finnau wedyn yn codi'r gwely, ac Oliver yn cysgu'n sownd ynddo, a'i roi o i lawr yr ochor arall i'r stafell. Ar ôl hyn dyma ni i gyd yn sleifio i lawr y grisiau yn ddistaw.

Ar ôl cyrraedd y stafell fyw dyma'r *medium* yn dweud,

'Rydw i'n credu y bydd yr hogyn bach yn iawn rŵan. Roedd yna *vibrations* cry' yn y gornel lle'r oedd y gwely. Mae'r gornel lle mae o rŵan yn weddol glir. Peidiwch â gofyn i mi esbonio'r peth i chi,' medda fo, 'ond fel yr oedd petha' roedd gwely'r hen foi bach reit yn llwybr rhyw ysbryd. Fe allwch chi anghofio'r peth rŵan. Does dim angen pryderu.'

Rydw i'n siŵr mai hon oedd joban hela ysbryd gyflymaf fy ngyrfa. Chymerodd y cwbwl ddim mwy nag ugain munud. Fe gedwais gysylltiad â'r teulu am gyfnod ar ôl hyn ond roedd yn amlwg fod popeth drosodd bellach, yn union fel roedd y *medium* wedi dweud.

Rydw i wedi dod i'r casgliad erbyn hyn nad oes dim mwy diflas nag eistedd am oriau yn disgwyl i ryw ffŵl o ysbryd ymddangos. Yr anfantais fwyaf o gael fy ystyried yn rhyw fath o arbenigwr ar fwganod ydi bod rhywun yn gorfod gwrando yn wastadol ar straeon ysbryd pobol eraill.

'Cofio Nain yn deud am fwgan pan oedd hi'n ferch ifanc . . .'

Ddaru mi erioed ddarllen llyfr o straeon ysbryd, a wna i ddim 'chwaith. Ond yr hyn y bydda i'n hoffi'i wneud ydi holi a stilio fel ditectif er mwyn cael cefndir y stori a'r rheswm pam mae'r ysbryd yn aflonyddu.

Ar ôl y noson yn nhŷ Peter a Bridget roeddwn i'n awyddus i wybod pwy oedd y dyn bach crys nos a chap Nodi oedd yn byw yn y tŷ mawr efo Oliver bach a'i rieni. Felly, y diwrnod ar ôl symud gwely Oliver dyma fi'n mynd draw i weld ffrind i mi — ficar y plwy. Ar ôl dweud yr hanes wrtho, dyna ofyn a oedd o'n gwybod rhywbeth o hanes y tenantiaid blaenorol. Doedd o ddim yn gwybod ond roedd o'n gwybod am hen wreigan wyth deg chwech oed oedd yn byw y drws nesa' i Peter a Bridget, yn rhif 41, ac wedi byw yno ar hyd ei hoes. Roedd ei chof hi'n wyrthiol, medda fo. Felly es i'w gweld hi, â'm tâp recordio dan fy nghesail, ac fe gafodd y goler gron fynediad i'r tŷ â chroeso.

Oedd, roedd yr hen wreigan yn cofio nifer dda iawn o bobol a fu'n byw yn rhif 42, y drws nesa' i'r tŷ lle'r oedd hi wedi'i geni a'i magu.

'Ond dydi pobol ddim i'w gweld yn aros yn hir iawn yn 42 y dyddia' yma,' meddai hi. 'Ond dyna fo, fel'na mae pobol ifanc heddiw — newid eu gwaith, cael dyrchafiad, symud tŷ a symud tre.'

Roedd hi'n cofio'r Browns a'r Donovans a'r Erskines yn byw yno, ac wedyn rhyw gwpwl bach na allai hi ddim cofio'u henwau. Fe gymerodd bron awr — awr ddigon difyr — cyn i ni ddod at denantiaid y 1900au. (Y flwyddyn 1950 oedd hi, wrth gwrs, ac felly 36 oedd oed yr hen wraig ar droad y ganrif.) A dyma'r hen wraig yn dweud:

'Mae'n debyg mai rhywle tua dechrau'r ganrif y symudodd yr hen Gapten Lucas i mewn. Dyn bychan oedd o, ac roedd ganddo fo ddwy ferch hardd, Lucille a Victoria.' Dyna fi'n codi 'nghlustiau yn syth pan glywais i am y dyn bach.

Roedd yr hen gapten bach, allaswn i feddwl, wedi gwneud ei ffortiwn yn masnachu ar hyd arfordir gorllewin Affrica, y rhan yr oedd y Sais yn ei alw yn *'White Man's Grave'*. Roedd o wedi dod o Lerpwl i Gaergybi i ymddeol, a'i ddwy ferch gydag o. Doedd yna ddim Mrs Lucas ac fe gymerodd pawb mai gŵr gweddw oedd o. Roedd y genod wedi dweud wrth eu cymydog drws nesa' sawl tro mor ddiflas oedd bywyd yng Nghymru, ac fel y buasen nhw'n rhoi unrhyw beth am gael mynd yn ôl i Lerpwl. I wneud pethau'n waeth, roedd yr hen ŵr yn cadw llygad barcud ar ei ddwy ferch. Doedd ond eisiau i un o'r ddwy *edrych* ar lanc ifanc ac fe fyddai'r hen ŵr yn ffyrnigo. Roedd Miss Victoria wedi cyfarfod gŵr ifanc mewn rhyw gyfarfod yn yr eglwys ac fe feiddiodd hwnnw alw yn y tŷ i'w gweld. Ar ôl iddo fynd roedd yna andros o ffrae wedi bod, a'r hen ŵr yn dweud mai dim ond ar ôl ei harian hi yr oedd y llanc, ac os byddai hyn yn digwydd eto gyda'r naill neu'r llall o'i ferched, yna fe fyddai'r ddwy yn cael eu torri allan o'i ewyllys heb ddim dimai goch y delyn.

'Am faint y bu'r teulu Lucas yma?' meddwn i.

'Rhyw bedair neu bum mlynedd,' oedd yr ateb.

Doedd yna ddim taw ar yr hen wraig rŵan: roedd cyfnod y teulu Lucas yn dod yn ei ôl yn glir iawn iddi. Roedd hi'n cofio fel roedd yr hen Gapten yn hoff iawn o'i wisgi, a'r genod yn mynd allan i brynu poteli o ddiod iddo fo. Roedd pobol yn dweud ei fod o'n yfed dwy botelaid y dydd at y diwedd. Ond doedd o byth yn mynd allan na hyd yn oed yn gwisgo amdano. Ac roedd ar y genod ofn yn eu calonnau i neb alw i'w weld o.

'Pam?' meddwn i. 'Am y byddai o wedi meddwi?'

'Nage,' meddai'r hen wraig. 'Dyna oedd yn rhyfedd am Gapten Lucas. Doedd y ddiod ddim i'w gweld yn cael unrhyw effaith arno fo. Na, y rheswm fod ar y merched gywilydd oedd am nad oedd o'n gwisgo amdano. Roedd o'n byw drwy'r dydd yn ei grys llaes a'i gap nos.'

'Sut gap ydi cap nos?' meddwn innau.

'Wel, rhyw gap hir fyddai pobol ers talwm yn ei wisgo ydi o; cap fel cornet hufen rhew y plant, a rhyw dasl ar ei ben o.'

Cap fel cap Nodi, meddwn wrthyf fy hun. A dyna ni felly. Dyna ni'n gwybod. Yr hen Gapten Lucas bach, drwg ei dempar, oedd yn hel Oliver i lawr at ei rieni bob nos am naw.

Fe allaswn feddwl fod y ddwy Miss Lucas wedi pacio'u bagiau ar ôl angladd preifat eu tad, ac wedi dal y trên hanner awr wedi dau yn eu holau i Lerpwl. Chlywyd yr un gair oddi wrthyn nhw byth wedyn.

Roeddwn i'n mynd heibio i rif 42 y diwrnod o'r blaen, ac yn yr ardd roedd yna glamp o arwydd: *For Sale With Vacant Possession.*

Ddylai pobol ddim cael dweud celwyddau fel hyn.

Yr Afanc ac Ysbrydion Eraill

Mae yna un tŷ mawr ym Mangor sydd yn newid tenantiaid bron iawn bob lleuad lawn. Cyn gynted ag y mae un bwrdd 'Ar Werth' wedi ei dynnu i lawr, mae yna un arall yn cymryd ei le. Mae hwn yn hen dŷ nobl ac mae'n amlwg ei fod mewn cyflwr da. Nid yw byth ar y farchnad yn hir; ond rydw i wedi sylwi, yn ddiweddar, mai pobol ddiarth sydd yn ei brynu bob tro. Mae hyn yn peri i mi feddwl fod yna rai heblaw fi yn gwybod fod yr hen dŷ yma yn gartref i fwgan.

Mae o'n bechod wir. Mae rhywun yn gweld yr arwydd 'Ar Werth' yn diflannu, gweld fan ddodrefn yn dod at y tŷ rai wythnosau wedyn. Yr hen dŷ ysblennydd a'i oleuadau yn sgleinio drwy bob ffenest. Pob stafell yn cael ei defnyddio a'i chynhesu a'r hen dŷ yn edrych yn hapus. Yna ar ôl pum neu chwe mis, does yna byth olau yn y stafell uwchben y drws ffrynt. Mae'r teulu bach wedi sylweddoli erbyn hyn fod yna ysbryd dieflig o ddrwg yn eu tŷ ond ei fod yn ei gyfyngu ei hun i'r un stafell yma.

Gwn fod y tŷ yma yn cael ei boeni a'i boeni'n ddrwg hefyd. Rydw i'n adnabod gwraig, sydd bellach mewn dipyn o oed, a gafodd ei geni a'i magu yno, ac mae hi wedi sôn wrtha i amdano droeon.

'Roeddan ni i gyd fel plant yn gwybod fod bwgan yn y stafell uwchben y drws ffrynt. Mi fyddai Tada bob amser yn ei chadw dan glo. Coeliwch fi neu beidio,' meddai, 'ond welais i erioed du fewn y stafell yna. Hyd yn oed pan oedden ni wedi dod i oed ac wedi priodi. A phan oedden ni'n gwagio'r hen dŷ ar ôl i Tada farw, aeth yr un ohonon ni i mewn i'r stafell yma.'

Roedd hi'n dweud fod gweddill y tŷ bob amser yn hapus ac yn gynhesol ond roedd hyd yn oed y landing gyferbyn â'r stafell gloëdig yn oer ac yn felancolaidd. Roedd yna ryw ymdeimlad, hyd yn oed i blentyn, fod y stafell yn gartref i rywbeth ffiaidd a hyll.

Ddwywaith neu dair y flwyddyn fe fydden nhw'n clywed rhyw nadau dychrynllyd yn dod o'r stafell: sŵn fel anifail mewn poen. Yna ar ôl y griddfan, sŵn malu a dryllio, ond chlywodd hi erioed ei thad yn dweud fod dim wedi ei dorri.

Rydw i wedi dod i feddwl mai afanc oedd y math o ysbryd a boenai'r tŷ yma. Mae yna lawer iawn o sôn yng Nghymru am afancod. Rai misoedd yn ôl fe gefais gyfle i gymryd rhan mewn ffilm ar y paranormal. David Frost oedd y cyflwynydd, ac roedd arbenigwyr o America, Awstralia a Phrydain wedi dod ynghyd i sôn am eu profiadau. Fi oedd yr unig Gymro yn y cwmni. Dangoswyd diddordeb mawr pan soniais i am afanc, sydd, mae'n ymddangos, yn ysbryd neu'n fwgan cynhenid i Gymru ac sydd bob amser yn gysylltiedig â dŵr. Rhywbeth mawr, du, seimlyd, di-siâp ydi o ac yn byw ran o'i amser mewn llyn neu afon neu yn y môr. Mae iddo ddau lygad sydd yn gallu treiddio i enaid dyn ac efo'i lygaid mae afanc yn siarad. Mae hefyd yn gallu lladd. Mae sôn fod yna afanc mewn pwll ar afon Taf ac os digwydd i rywun ddisgyn i'r afon yn y rhan yma, ni welir byth mo'i gorff wedyn. Clywais sôn am afanc arall yn dod o'r môr i hen reithordy yn ymyl Caerdydd, ac yn sefyll tu ôl i aelodau'r teulu a dweud 'Os beiddiwch, trowch ac edrychwch arnaf.' Ond mae'r teulu a'r ymwelwyr wedi eu disgyblu i beidio â throi ac edrych os digwydd hyn iddyn nhw.

Welais i erioed afanc, ond fe ddywedodd fy ffrind, W.R., wrthyf fel yr oedd o wedi cyfarfod ag un.

Person gwlad fel finnau oedd W.R. a phan gynigiwyd plwyf Yr Hen Briordy iddo, roedd wrth ei fodd. Roedd W.R. yn dipyn o ddyn *D.I.Y.* a dyma fo'n penderfynu ceisio rhoi trefn ar y tŷ cyn i'w wraig a'i blant symud i mewn. Paciodd ei arfau ac i ffwrdd â fo i'r tŷ, oedd i fod yn gartref iddo fo a'i deulu. Bu wrthi'n brysur drwy'r dydd, yn trwsio'r peth yma a'r peth arall, ac yn hwyr ar noson gynnes ym mis Awst dyma feddwl chwilio am le i gysgu yn ei dŷ newydd. Roedd yna un llofft enfawr yn wynebu'r môr. 'Hon fydd llofft y wraig a minnau,' meddai W.R. wrtho'i hun ac yn ddiseremoni dyma rowlio ei fatres ar y llawr a hwylio i gysgu.

'Roeddwn wedi blino,' meddai, 'ac mi gysgais yr eiliad y rhois fy mhen ar y glustog. Cysgais tan tua thri ac yna dyma fi'n deffro.' Disgrifiodd fel y teimlai'n oer, ond nid rhyw oerni corfforol oedd wedi ei ddeffro, ond rhyw ofn aruthrol wedi dod drosto, a theimlad o iselder ysbryd gormesol. Wyddai o ddim pam roedd o'n oer na pham y teimlai'n ofnus ac yn isel.

'Yna,' meddai, 'mi clywais i o. Rhyw sŵn fel sŵn anifail yn brwydro am ei wynt ac roedd y stafell i gyd yn ogleuo. Roedd fy nghorff wedi cyffio cymaint gan yr oerni rhyfedd fel ei bod yn ymdrech i droi i gyfeiriad y sŵn meginol yma. Ar ôl troi fe'i gwelais; roedd o'n eistedd yn y lle tân ac roedd cymaint duach na'r grât fel y gallwn ei weld yn blaen. Rhyw ddüwch seimlyd, mawr, di-siâp a dau lygad creulon yn treiddio drwof.'

'Roedd y ddau lygad yn gallu siarad, a'r funud honno roedden nhw'n dweud wrtha i fy mod yn mynd i farw. Roedd y peth yn hollol sicr ei fod yn mynd i fy lladd ac na fuaswn yno erbyn y bore. Roedd o'n chwerthin am fy mhen ac yn graddol wasgu'r nerth allan o'm corff. Ceisiais beidio ag edrych arno er mwyn torri ei bŵer ond fedrwn i ddim, roedd yn rhaid i mi edrych ar y ddau lygad uffernol oedd yn crechwenu wrth fy lladd.

'Yna,' meddai, 'dyma ryw fflach a dyma fi'n meddwl am Maria, fy ngwraig, ac am Jimmy a Meg bach, yn cysgu yn y Ficerdy gartref. A dyma fi'n penderfynu brwydro â'r anghenfil dieflig yma. Ceisiais sefyll ar fy nhraed ond roeddwn i wedi cyffio gormod. 'Yna,' meddai, 'dyma fi'n gweiddi nerth esgyrn fy mhen, "Fe wnest ti gamgymeriad rŵan, y diawl, yn gadael i mi gofio am Maria a Jimmy a Meg bach."

Yna, dyna'r octopws peth yn dechrau gwasgu'n galetach a finnau'n ceisio cael un fraich yn rhydd i wneud arwydd y groes ond yn methu. Roedd y peth yn gwybod yn iawn beth roeddwn yn geisio'i wneud ac yn ffyrnigo.

'Ceisio gweddïo wedyn ond fy llais yn gwanio a mynd yn gryg. "Yn enw'r Tad a'r Mab a'r Ysbryd Glân." "Ein Tad yr hwn wyt yn y Nefoedd . . ", ac yna methu â chofio beth oedd i ddilyn. Parablu un darn o weddi ar ôl y llall, "Yr Arglwydd yw fy Mugail, ni bydd eisiau arnaf", "Mi a godaf fy llygaid i'r mynyddoedd, o'r lle daw fy nghymorth." "Iesu Tirion gwêl yn awr, blentyn bach yn plygu i lawr." "Be ga i ddweud, be ga i ddweud nesaf?" '

'Fel roeddwn i'n gweddïo roedd y peth yn cynddeiriogi ond roedd y crechwenu wedi mynd o'i lygaid, dim ond creulondeb oedd yn aros. Roedd yn gwichian wrth anadlu fel pe bai'n ceisio boddi fy ngweddïau.

"Iesu cadw fi tan y bore
Iesu cadw fi tan y bore
Iesu cadw fi tan y bore."

'Ac yna fe ddaeth y bore. Dechreuodd pelydrau'r haul dreiddio drwy'r ffenest a theimlwn fy nghorff yn cynhesu. Roedd yr anghenfil wedi diflannu ac fe wyddwn na ddôi o byth yn ôl.'

Rydw i'n cofio W.R. yn dweud, 'Efo angel ddaru Jacob ymgodymu, ond mi ddaru W.R. ymgodymu â'r diafol ei hun, a chael y fuddugoliaeth.'

Fu dim angen i Meg a Jimmy na hyd yn oed Maria ddod i wybod am y frwydr a fu yn llofft orau'r Priordy.

Ar ôl clywed y stori yma gan W.R. fe holais ddau offeiriad arall oedd wedi bod yn byw yn yr hen Briordy.

'Wel na,' medden nhw. 'Allech chi ddim dweud fod yna ysbryd yn y Priordy. Pam rydech chi'n holi?' Minnau wedyn yn gofyn iddyn nhw a oedden nhw wedi cysgu yn y llofft fawr oedd yn wynebu'r môr.

'Na,' meddai'r ddau yn eu tro, 'Mi ddaru ni gadw'r stafell yna fel stafell storio, math o *lumber room.*'

Rydw i wedi gweld y llofft ffrynt fawr sydd yn wynebu'r môr yn y Priordy, a'r unig beth ddyweda i ydi y buasai'n rhaid i ddyn gael chwilen go fawr yn ei ben, neu ofn arswydus yn ei galon cyn gadael i stafell fel honno fod yn stafell storio.

A dyna'r afanc — ysbryd y dyfroedd. Pa fath berson sydd yn newid yn afanc? Fe fydda i'n meddwl yn aml iawn hefyd pa fath berson, ar ôl ei farw, sydd yn troi i fod yn boltergeist — yr ysbryd sydd yn torri ac yn malu mewn tai. Rydw i wedi meddwl llawer am y math hwn o ysbryd er, diolch am hynny, dydw i erioed wedi cyfarfod ag afanc na pholtergeist.

O'm profiad fy hun, wedi siarad ag ysbrydion yr ymadawedig, rydw i wedi dysgu nad ydi marwolaeth yn gwneud llawer o wahaniaeth i'n personoliaeth. Pan fyddwn farw, fe fyddwn ni'n cau ein llygaid mewn un byd a'u hagor mewn byd arall. Byd sydd, yn ôl y rhai sydd wedi marw yn glinigol a chael eu hadfywio mewn ysbytai, yn fyd hyfryd iawn. Mae'r byd yn newid ond dydi'r bersonoliaeth yn newid dim. Does dim adenydd yn dechrau tyfu, na choron o aur i'w gwisgo, na'r ddawn i ganu telyn; pethau i ddod ydi'r rhain. Os mai hen gingron, cas, budr ei dafod ydi dyn pan fo farw, yna hen gingron cas, budr ei dafod a egyr ei lygaid yr ochor draw. Yr unig wahaniaeth ydi y bydd o wedi gadael ei gorff daearol i bydru ar y ddaear ac yntau bellach wedi ei wisgo â chorff ysbrydol, ac yn y corff hwnnw mae yna ddefnydd ysbryd brwnt a chas a budr ei dafod.

Fe wyddon ni i gyd am hwliganiaid pêl-droed yn mynd fel teirw gwyllt drwy'r dre, ar ôl y gêm, gan falu a dinistrio popeth o'u blaenau a chodi ofn a dychryn ar bawb. Pobol ifainc â natur gas annymunol ac anghymdogol. Fe glywais, dro yn ôl, am ddau fachgen ifanc o flaen eu gwell yn Llandudno. Roedden nhw wedi torri i mewn i'r eglwys ac wedi malu a dinistrio popeth a allent ac wedi gwneud dŵr ar yr allor. Roedd arnyn nhw eisiau dod â dirmyg a loes i'r holl rai oedd yn addoli yn yr eglwys honno ac a oedd yn derbyn corff a gwaed yr Arglwydd Iesu oddi ar ei hallor. Allwn i ddim peidio â meddwl dau boltergeist mor dda fuasai'r ddau yma pe baen nhw wedi'u lladd ar fotor beic y noson honno. Diolch eto na fu raid i mi erioed ddelio ag un ohonyn nhw.

Fodd bynnag pan gefais ymweliad rai blynyddoedd yn ôl gan warden hostel myfyrwyr ym Mangor, fe feddyliais fy mod yn mynd i gyfarfod un. Dod i ddweud wnaeth y warden fod yna fyfyrwraig wedi cael ei deffro ganol nos gan ysbryd a'i bod wedi ffoi allan o'r adeilad dan sgrechian. Wedi clywed rhyw grafiadau ar y ffenest roedd hi ac ar ôl deffro wedi gweld wyneb fel wyneb hen wrach y tu allan i'r ffenest yn amneidio ar iddi ei hagor. Hostel gymysg oedd hi ac felly dyma fi'n awgrymu i'r warden ei fod yn rhoi llanc yn y stafell yn lle merch.

'Dyna wnes i,' meddai. 'Mae 'na dri llanc wedi bod yn y stafell yma, dau ohonyn nhw yn aelodau o'r tîm rygbi, a hanner noson yr un maen nhw wedi aros ynddi. Bellach mae'r pum stafell arall ar yr un llawr yn wag hefyd ac yn golled ariannol i'r coleg.'

Fe addewais fynd i weld y myfyrwyr y nos Sul ganlynol. Pan gyrhaeddais roedd y neuadd yn llawn. Rhoddais sgwrs fach iddyn nhw am ysbrydion yn gyffredinol, ac am y rhai roeddwn i wedi eu cyfarfod. Dweud wrthyn nhw hefyd nad oedd rhaid ofni cael niwed gan ysbryd a'u hannog hefyd i fod dipyn mwy cymdogol, oherwydd bod yr ysbryd, mae'n debyg, wedi byw yn yr adeilad yma cyn iddyn nhw gael eu geni.

'Os teimlwch chi rywbeth,' meddwn i, 'neu os gwelwch chi rywbeth, y peth i'w wneud ydi siarad efo'r ysbryd, gofyn pwy ydi o, cynnig help iddo, a gofyn ym mha ffordd yr hoffai gael help.'

Prin roeddwn i wedi eistedd nad oedd myfyriwr bach o'r flwyddyn gyntaf, myfyriwr o goleg diwinyddol, ar ei draed. Roedd y creadur bach yn wyn gan dymer ac yn crynu drwyddo i gyd. Sut y medrwn i, dyn wedi ei ordeinio'n offeiriad, ymyrryd â'r meirw? Darllenodd wedyn adnod ar ôl adnod o'r Hen Destament oedd yn addo llid yr Hollalluog ar y rhai oedd yn galw'r meirw. Y creadur bach, welais i neb erioed wedi cynhyrfu gymaint.

Fe'i hatgoffais nad oeddwn i wedi gwneud dim ond yr hyn a wnaeth yr Arglwydd Iesu. Roedd Ef wedi mynd â Phedr, Ioan ac Iago gydag ef i fynydd y Gweddnewidiad. Tra oedden nhw yno bu i'r Iesu gyfarfod â Moses ac Elias a chan fod y ddau hynny wedi marw ers cannoedd ar gannoedd o flynyddoedd, teg oedd meddwl mai gydag ysbryd Moses ac ysbryd Elias yr oedd yr Iesu wedi ymddiddan. Fe ddywedais wrtho hefyd pe gallwn i, fel offeiriad, ddangos dim ond un ysbryd i anghredadun, yna buaswn wedi mynd mwy na hanner y ffordd i brofi'r Atgyfodiad iddo.

Rydw i'n cofio — ac roedd yn biti gen i — i'r myfyrwyr eraill roi cymeradwyaeth floesg i mi am fy ateb. Rhyw deimlo roedden nhw fod y myfyriwr newydd wedi bod dipyn yn anfoesgar tuag at ŵr gwadd ei goleg.

Pan glywais y llanc bach yma yn dechrau ar ei araith, roeddwn yn adnabod y broblem. Mae yna gymaint i'w ddysgu am y busnes ysbrydion yma a chymaint hefyd na all neb byth ei ddeall. Ond mae yna rai rheolau safonol ac un o'r theoremau yma ydi: na all yr un ysbryd ymddangos ond drwy gyfrwng dau *medium*, un yr ochor draw, a'r llall ar yr ochor ddaearol. Ac roeddwn i'n berffaith sicr yn fy meddwl mai'r *medium* ar yr ochor ddaearol yn yr achos yma, yr un oedd wedi galluogi'r hen wraig i ymddangos yn yr hostel, oedd y myfyriwr bach ffres a ddaethai i'r hostel ddau fis ynghynt.

Roeddwn wedi dod ar draws y ffenomenon yma o'r blaen oherwydd roedd gen i ffrind, a ddaeth yn ddiweddarach yn gurad i mi yn Nhregarth. Roedd yn enedigol o'r De a gelwid ei dylwyth yn Deulu'r Deri. Doedd neb yn gwybod pam os nad am y rheswm fod pob aelod o'r teulu yn medru dweud pan oedd rhywun yn y gymdogaeth yn agos i farw.

Pan fyddai'r curad yn cymryd gwasanaeth y cymun yn yr eglwys ganol yr wythnos, a dim ond hanner dwsin o'r ffyddloniaid yn bresennol, fe fyddai'n brolio wrtha i cymaint oedd yno. Roedd ei rieni yno; roedd Jane Hughes ac Edward Pritchard, roeddwn i wedi eu claddu rai blynyddoedd ynghynt, yno, ac yno hefyd roedd yr hen Esgob oedd wedi ei ordeinio ef yn Esgobaeth Tyddewi, yntau bellach wedi croesi. Roedd curad Tregarth yn sicr o fod yn *medium* ond rhywsut neu'i gilydd roedd o'n gallu dygymod â'r peth.

Rydw i'n ei gofio yn dweud hanes ei noson olaf gartref cyn mynd i'r coleg. Roedd ei fam wedi dweud wrtho am ddod adre'n gynnar am ei bod hi eisiau gair ag o. Yntau wedi mynd i ffarwelio â chwpwl o ffrindiau ac yn dod yn ôl i'r tŷ gan ddisgwyl andros o ddarlith gan ei fam weddw am y ddiod feddwol, ac am iddo barchu merched a pheidio â benthyca arian a chwarae cardiau. Ond ddywedodd ei fam ddim byd am y pethau hynny.

'Roger,' meddai hi pan ddaeth o adre. 'Rydw i am i ti wrando yn ofalus ar beth sydd gen i i'w ddweud. Os cei di dy hun yn y coleg mewn cwmni lle bo rhai yn awgrymu chwarae gyda bwrdd *ouija*, neu yn dweud ffortiwn efo cardiau neu lestri te neu geisio darllen meddwl ei gilydd efo telepathi a phethau felly, rydw i am i ti addo i mi y gwnei di godi ar dy draed y munud hwnnw a mynd o'u cwmni.' Roedd hi'n gwybod fod gan ei mab bŵerau *mediumistic* ac roedd yn ei rybuddio o'r peryglon.

Ond efallai nad oedd mam y myfyriwr bach arall yma erioed wedi sôn wrtho am y peth. Roedd o'n gwybod er pan oedd yn yr ysgol fod ganddo ryw bŵerau, a'i fod o'n wahanol, ond roedd o wedi dod i'r casgliad mai teimladau afiach di-chwaeth oedd rhain ac o'r herwydd wedi dysgu eu cuddio am ei fod yn teimlo euogrwydd a rŵan dyma offeiriad yn dod i'w goleg a choler person am ei wddf ac yn dweud wrth bawb am siarad efo ysbrydion. 'Pwy ydach chi, ysbryd? Sut medra i'ch helpu chi, ysbryd?' fel pe bai hyn y peth mwyaf naturiol yn y byd. A dyma rywbeth yn snapio yn y creadur bach. 'Sut ydach chi sydd yn honni bod yn ŵr Duw yn beiddio galw'r meirw?' meddai.

Cyrhaeddodd y myfyriwr bach y coleg ym mis Hydref. Ym mis Hydref hefyd yr ymddangosodd yr hen wreigan fach hyll am y tro cyntaf. Doedd gen i ddim plwc i ddweud wrth y myfyriwr fy mod i'n meddwl mai fo ac nid y fi oedd wedi galw allan y meirw.

Fe ddaru mi, fodd bynnag, awgrymu i'r warden y buasai'n rhatach iddo dalu am wely a brecwast i'r bychan mewn gwesty yn y dref na chael chwe stafell yn yr hostel yn wag ar hyd y flwyddyn.

Ac fel yna roedd popeth i'w weld mor syml. Roeddwn i'n dechrau meddwl nad oedd yna ddim byd i'r busnes ysbrydion yma. Synnwyr cyffredin oedd y cwbl. Dyna fy malchder; roedd y cwymp i ddilyn.

Y Dysgwr

Roeddwn i wedi mynd i mewn i fyd ysbrydegaeth yn rhy sydyn o lawer. Roedd y noson a gefais efo Eban Jenkins yn Ninbych wedi bod, i mi, fel bedydd tân, a phopeth o hynny allan wedi mynd ar garlam. Ar ôl gweld y ddau *medium* o Birmingham yn gweithredu mor ddeddfol a threfnus, a sylweddoli fod yna yn y fan hyn broblem gymdeithasol, a phobol angen cymorth — pobol o'r ddwy ochor i'r llen mewn gwirionedd, sylweddolais nad rhywbeth i'w wneud rhywsut rywsut oedd y busnes ysbrydion yma. Roedd yn rhaid i mi ddod yn arbenigwr; roedd yr amser wedi dod i mi ddechrau dysgu.

Ychydig nosweithiau ynghynt roeddwn yn eistedd wrth ymyl *medium* oedd yn dod allan o drans. Roedd ei freichiau allan ac yn jercian a phob un ohonon ni'n cadw draw oddi wrtho, yn ofni ei gyffwrdd. Ond o rywle daeth cath fach a phan welodd hon ei fraich yn jercian dyma hi'n cymryd mai ceisio rhoi mwythau iddi roedd o, a dyma'r hen gath fach yn estyn ei phen ato a chyffwrdd â'i law. Rargian fawr, fe fu bron iawn i'r creadur hitio'r nenfwd.

Roedd yr ysbrydegwyr eraill oedd yn bresennol yn syrthio ar eu bai am fethu â rhagweld beth oedd yr hen gath fach am wneud. Roedden nhw i gyd yn dweud ei bod yn drugaredd mai dod allan o drans yr oedd o ac nid mynd i mewn i un trwm, 'Neu wir . . .' medden nhw. 'Neu wir . . .' Beth? Dyma rhywbeth na wnes i mo'i ddarganfod tan rhyw bymtheng mlynedd yn ddiweddarach. Y pryd hwnnw y clywais i am ferthyr cyntaf yr Eglwys Ysbrydegol.

Roedd gan Helen Duncan, gwraig o'r Alban, ddawn *mediumistic* hynod anghyffredin. Yn 1944 fe'i harestiwyd dan y deddfau yn erbyn Gwrachod a Chrwydriaid *(Witchcraft and Vagrancy)*, a'i chyhuddo o gymryd arni fod ganddi bŵerau *mediumistic.* Ei hamddiffyniad yn y llys oedd nad cymryd arni fod ganddi'r pŵerau hyn roedd hi ond ei bod hi mewn gwirionedd yn berchen arnyn nhw, a gofynnodd am gennad y llys i arddangos ei thalent i'r ustusiaid. Fe wrthodwyd iddi'r hawl ac fe'i taflwyd i garchar am naw mis gyda siars nad oedd hi byth eto i ddangos na chymryd arni fod ganddi bŵerau o'r fath.

Yn 1956 fe berswadiwyd Helen Duncan i gymryd rhan mewn seons breifat yn nhŷ ffrindiau yn Nottingham. Mae'n rhaid fod yna Jiwdas yn y cwmni oherwydd pan oedd hi yn drwm mewn trans, daeth yr heddlu i mewn ac er eu rhybuddio gan y rhai oedd yn bresennol, dyma nhw'n cydio ynddi a'i harestio. Llewygodd Helen yn eu breichiau ac fe'i rhuthrwyd i ysbyty lle y bu farw fis yn ddiweddarach. Adroddiad y postmortem oedd ei bod wedi marw o losgfeydd difrifol drwy ei chorff, yn enwedig yng nghyffiniau ei *solar plexus*, y rhan honno y mae'r ysbrydegwyr yn ei ystyried yn ganolbwynt yr ectoplasm.

Fe greodd marwolaeth Helen Duncan dipyn go lew o helynt drwy'r wlad. Ysgrifennodd yr Arglwydd Dowding a Hannen Swaffer am y peth yn y papurau newydd ac fe ofynnwyd cwestiynau lawer iawn yn Nhŷ'r Cyffredin, ac fe gafodd yr Eglwys Ysbrydegol ifanc ei merthyr cyntaf.

Mae bron yn anghredadwy for Deddf Gwrachod 1735 a Deddf Crwydriaid 1824 wedi eu gadael ar lyfr cyfraith Prydain, heb eu hatal hyd Rhagfyr 1, 1950.

Yn gynharach, roeddwn i'n synnu cyn lleied o ysbrydion oedd ym Mlaenau Ffestiniog pan oeddwn i yn hogyn. Deallaf erbyn hyn fod yr ysbrydion ar gael yn y Blaenau bryd hynny, ond nad oedd *mediums* ar gael i'w galluogi i dorri drwodd a hynny oherwydd fod cyfraith gwlad yn eu gwahardd. Wrth gwrs, hyd nes yr ataliwyd y cyfreithiau yma roedd pob *medium* yn cadw'n ddistaw rhag cael ei daflu i garchar fel gwrach neu grwydryn. Ac yn naturiol iawn heb *medium* heb ysbryd.

Ond yn fwy na dim y peth sydd yn fy nychryn i ydi dysgeidiaeth yr ysbrydegwyr am ysbrydion rhwymedig — eneidiau sydd yn methu â chroesi i'r byd tu hwnt i'r llen. Roeddwn i wedi cael gweld a siarad efo'r hen Eban Jenkins oedd yn dal i drigo yn ei dafarn fach yn Ninbych ddeng mlynedd a phedwar ugain ar ôl iddo farw ac ar ôl i rywun ysgrifennu ei enw ar ei garreg fedd. Roedd ysbrydegwyr yn dweud wrtha i rŵan fod yna rai pobol — nid llawer — yn marw ac yn bwrw i ffwrdd eu cyrff daearol ac yn gwisgo eu cyrff ysbrydol, ac yna rhywsut neu'i gilydd yn methu â dod o hyd i'r rhyd dros yr Iorddonen, ac yn methu â chroesi.

Mae'r syniad o fethu â chael hyd i'r ffordd ar ôl marw yn fy arswydo i. Pan fydda i'n mynd i Sir Fôn gefn gaeaf i bregethu diolchgarwch fe fydda i bob amser yn colli fy ffordd ac yn mynd i ryw fferm fach i holi cyfeiriad yr eglwys. Hwythau wedyn yn garedig yn fy rhoi ar ben y ffordd: cynta i'r chwith, dros y groesffordd bach a'r ail i'r dde ac fe fyddwch wrth yr eglwys, fedrwch chi ddim methu. Mae pobol Sir Fôn, yn nhywyllwch gaeaf, yn hoff iawn o ddweud, 'fedrwch chi ddim methu.' Ond methu fydda i serch hynny a dyna beth sydd gen i ofn pan mae pobol yn sôn am ysbrydion rhwymedig.

Dydw i erioed wedi bod ag ofn marw. Mae fy nghysylltiad â'r ymadawedig wedi profi i mi fod yna fywyd gwell i fynd iddo. Ond rydw i wedi gweld cyfeillion yn brwydro rhag mynd ac yn ceisio ymgodymu ag Angel Marwolaeth ei hun. Ddylwn i ddweud wrth y bobol hyn fod yna ofn mwy o lawer nag ofn marw — ofn methu â marw, methu â gollwng. Yr ofn o fod yn rhan o syndrom y *Flying Dutchman.*

Rydw i wedi meddwl llawer am yr holl angladdau rydw i wedi gwasanaethu ynddyn nhw. Cymaint o weithiau rydw i wedi dweud:

'Yn ffydd Crist a chan gredu fod enaid ein brawd yn nwylo Duw yr ydym yn traddodi ei gorff ef i'r ddaear mewn gwir ddiogel obaith o'r atgyfodiad i fywyd tragwyddol.'

Roedd rhyw offeiriad wedi dweud y geiriau yna wrth fedd yr hen Eban ac roedd o wedi etifeddu atgyfodiad tragwyddol, ond sut fath o dragwyddoldeb oedd gweiddi 'Rwy'n dŵad, rwy'n dŵad,' flwyddyn ar ôl blwyddyn yn yr hen dafarn fach yn Ninbych?

Yn ystod yr ugain mlynedd diwetha o'm gweinidogaeth y thema fawr oedd Adundeb — y breuddwyd o gael Eglwys Grist Unedig.

'Gadewch i ni ymuno â'r Methodistiaid,' meddai'r esgob efengylaidd.

'Peidiwn ag ordeinio benywod yn offeiriaid rhag i hyn fod yn rhwystr i ni fedru ymuno ag Eglwys Rufain,' meddai'r Esgob Uchel Eglwysig, ond chlywais i ddim hyd yn oed Deon Gwlad bach yn dweud:

'Gadewch i ni ymuno â'r Ysbrydegwyr,' ac eto mae gan yr Ysbrydegwyr lawer iawn o wybodaeth i'w rhoi inni am y rhan bwysig yma o'n credo Gristnogol — y bywyd tragwyddol a'r byd tu hwnt i'r llen.

Roedd yna *mediums* yn gweithio'n ddirgel ers tua 1853 ond ddaeth y peth ddim i'r amlwg tan ar ôl Rhyfel Mawr 1914-18. Dyma pryd y daeth pobol i sylwi fod yna eglwys newydd yn eu plith, eglwys oedd yn gallu rhoi prawf ymarferol fod yna fywyd ar ôl bywyd. Roedd miliynau o bobol drwy Ewrob wedi colli rhai annwyl a doedd yr Eglwys Anglicanaidd, er iddi gael ei hysgubo gan Fudiad Rhydychen, wedi darganfod dim i'w roi yn lle'r gannwyll a'r pwt gweddi dros yr ymadawedig y bu i Luther eu gwahardd. Pobol, yn eu galar, yn troi at eglwys newydd yr Ysbrydegwyr, nid i ymaelodi, ond fel rhywbeth achlysurol gan obeithio am neges pan oedd eu galar yn mynd yn drech.

Yn 1920 fe etholodd Cynhadledd Lambeth (holl esgobion byd yr Eglwys Anglicanaidd) gomisiwn o ddau archesgob a deg ar hugain o esgobion i edrych i mewn i ddaliadau yr Ysbrydegwyr. Fe ddaethon nhw ag adroddiad yn ôl oedd yn dweud:

'Mae'n bosib ein bod yn gweld cychwyn gwyddoniaeth newydd all daflu goleuni ar y ddau fyd — y byd hwn a'r byd i ddod. Ymddengys nad oes diwedd ar ymdrechion yr Hollalluog i alluogi dyn i werthfawrogi ei ysbrydoldeb.'

Ond er hyn ni wnaethpwyd dim gan yr eglwys.

Yn 1938 fe benododd Archesgob Lang gomisiwn arall i edrych i mewn i ysbrydegaeth ac fe aethpwyd â'r adroddiad i Balas yr Archesgob yn Lambeth, ond chlywyd dim mwy amdano. Flynyddoedd ar flynyddoedd wedyn, mewn dull rhyfedd, fe ddarganfu Morris Barbanell, golygydd y *Psychic News*, gopi o'r adroddiad ar ei ddesg ac fe'i cyhoeddodd. Roedd comisiwn yr Archesgob, yn cynnwys gwyddonwyr byd enwog ac athrawon coleg, yn datgan eu bod o'r farn ei bod yn ffaith fod ysbrydion yr ymadawedig yn gallu cymuno a chyfathrebu â'r byw.

Erbyn 1950 roedd Eglwys yr Ysbrydegwyr wedi cynyddu. Roedd dros fil o eglwysi ym Mhrydain ac mewn cynhadledd byd yn Llundain yn 1948 roedd cynrychiolwyr o 41 o wledydd. Rydw i'n cofio'n dda, pan oedd hyn i gyd yn digwydd a chwestiynau am y grefydd newydd yn cael eu gofyn yn Nhŷ'r Cyffredin, roedd fy esgob innau, Esgob J.C. Jones, yn cymryd diddordeb mawr. Roedd o'n gwybod fy mod i yn rhyw fflyrtio efo'r ysbrydegwyr ac yn ei stafell gyfrin roedd o wrth ei fodd yn clywed y straeon ysbryd mwyaf diweddar oedd gen i. Pan ofynnodd o i mi yr un cwestiwn ag a ofynnodd yr Archesgob Lang fedrwn i ddim ond rhoi yr un ateb iddo fo ag a roddodd y comisiwn i'r archesgob.

'Rydw i wedi fy mherswadio fod eneidiau yr ymadawedig yn gallu cymuno a chyfathrebu â'r byw.'

Ond fedrwn i byth wneud fy nghartref efo'r

ysbrydegwyr. Rydw i'n teimlo eu bod yn rhoi'r pwyslais i gyd ar un agwedd o ddysgeidiaeth yr Arglwydd Iesu. I mi, fe fuasai ymaelodi â'r ysbrydegwyr yn union fel mynd at enwad oedd yn gwrando ar yr un bregeth bob Sul.

Pan ddaeth yr alwad nesaf am help roeddwn i gael y fraint o weithio efo ysbrydegwraig enwog a hefyd â gwyddonydd oedd wedi ei ddonio'n gyfoethog â galluoedd seicic.

Y Gwawrio

Yn 1970 yr es i gyntaf i wasanaeth ysbrydegwyr. Mae eu gwasanaeth yn eithaf tebyg i wasanaeth yr eglwys neu wasanaeth capel — darlleniadau a gweddïau a phwt o ganu a hefyd pregeth, a elwir ganddyn nhw yn Athroniaeth.

Yn y gwasanaeth y bûm i ynddo, Bob Price oedd yr arweinydd neu'r *medium* ac roedd pawb yn dweud ei fod o'n un da. Roedden ni wedi cael y gweddïau a'r darlleniadau a bellach yn disgwyl am yr Athroniaeth gan Bob. Fe safodd ar ei draed a dweud:

'F'annwyl Frodyr yn yr Arglwydd . . .' pan ddigwyddodd rhywbeth rhyfedd i'w lais. Dechreuodd llais bariton Bob fynd fel llais merch, ac yna dechrau cecian a bustachu.

'Cyfarchion i chi, gyfeillion annwyl,' meddai'r llais newydd rhyfedd yma. 'Fi yw Tim Lem ac mae gen i lawer o bethau pwysig i'w dweud wrtha chi.'

Fe ddywedodd un o'r gynulleidfa wrthym, dan ei wynt, ei fod o wedi cyfarfod Tim Lem o'r blaen ac mai mynach o Tibet oedd o, a'n bod ni'n hynod o lwcus ei fod o wedi dod drwodd aton ni. Dyma'r aelod wedyn yn clirio'i wddw ac yn dweud:

'Cyfarchion Tim Lem. Fi ydi Burroughs. Rydan ni wedi cyfarfod o'r blaen.'

'Tim Lem falch o gyfarfod Bylos,' oedd yr ateb.

'Ar ôl hyn dyma pawb yn y stafell yn cyflwyno'u hunain ac ar y diwedd dyma finnau yn dweud:

'Cyfarchion Tim Lem, Aelwyn Roberts ydi f'enw i,' a chael yr ateb,

'Tim Lem falch o gyfarfod Alw Lobots.'

Cymerodd Tim Lem y gwasanaeth drosodd gan ddefnyddio corffyn yr hen Bob druan. Dywedodd ei fod yn gwybod pobol mor ddeallus oedden ni a bod gynnon ni'r gallu i werthfawrogi'r athroniaeth oedd ganddo ef i'w rhoi. Aeth yr hen lais craclyd yn ei flaen am dros ugain munud. Dywedodd wrthym sut i diwnio ein meddyliau i'r perffaith ddistawrwydd. Sut i wrando ar fiwsig natur. A dweud y gwir roeddwn i dipyn yn siomedig yn yr holl beth. Fy nheimlad i oedd y buasai Bob Price wedi gallu rhoi gwell pregeth i ni na'r mynach bach yma o Dibet. Ar ôl iddo fynd ac wedi iddyn nhw ofyn fy marn, allwn i ddim llai na dweud mor siomedig oeddwn i.

'Os mai athroniaeth mynach Tibetaidd, sydd wedi cael canrifoedd i fyfyrio ac aeddfedu ei syniadau, oedd yr hyn a glywson ni,' meddwn i, 'yna does gen i ddim llawer o feddwl o'r peth.'

Fe ddaeth Bob Price allan o'i drans a gofyn i ni beth oedd wedi digwydd iddo fo ac i ninnau a dywedais wrtho yntau hefyd am fy siom. Cynigiodd Bill Peters, Aelod o Gymdeithas Ymchwil Seicic, esboniad i mi fod ysbryd o'r ochor arall yn cael ei gyfyngu'n fawr yn y math o gorff a meddwl mae o yn ei gymryd drosodd ar y ddaear. Ac yna dyma fo'n troi at yr hen Bob druan a gofyn iddo,

'Sut sgolar oeddat ti yn yr ysgol, Bob? Gest ti rywfaint o lefals "O"?'

'Dau,' meddai Bob, "Sgrythur a Gwaith Coed.'

'A dyna'ch ateb,' meddai Bill Peters. 'Dwy lefel "O" Bob. Pe tasai Bertrand Russell neu Hannen Swaffer wedi bod yn y gadair yna heno yn lle Bob Price fe fasan ni wedi cael Athroniaeth werth gwrando arni.'

Efallai fod hyn yn wir, ond mae'n rhaid i mi fod yn onest, hyd yn hyn dydw i ddim wedi cael un neges gan neb o'r byd tu hwnt i'r llen oedd yn werth y siwrne i'w ddweud.

Yn y cyfnod yma doedd seons ddim yn beth parchus iawn i fynd iddo, na chwaith y ddawn o hypnoteiddio yn beth parchus i fod ynglŷn ag o. Edrychid ar hypnoteiddio gydag amheuaeth bron gan bawb ac eithrio, efallai, drigolion fy mhlwy bach i yn Llandegai.

Yn y cyfnod hwn roedd y rhan fwyaf o famau yn rhoi genedigaeth i'w plant gartref yn hytrach nag yn yr ysbyty. Roedd i'r plwy ddau feddyg; y ddau yn barod iawn i ddod allan ar fyrder ddydd neu nos ac ar ddyletswydd bob yn ail noson fel na wyddai'r fam p'run o'r ddau ddoctor fyddai gyda hi ar yr enedigaeth. Roedd y doctor ifanc yn edmygwr mawr o Dr. Dick Read, awdur y llyfr *Relaxation in Childbirth*, llyfr oedd yn ceisio dangos mai methu ag ymollwng oedd yn achosi'r boen ac nad oedd mamau duon yn Affrica yn cael poen genedigaeth o gwbwl. Y cwbwl roedden nhw'n wneud pan ddôi eu hawr oedd cerdded i'r goedwig, cwrcwd i lawr a gwthio'r plentyn i wely o ddail a gwellt glân. Pan ddôi doctor ifanc Llandegai i'r tŷ ar amser geni ei orchymyn fyddai i'r fam ddod o'i gwely a chwrcwd i lawr yn y llofft a gollwng ei baban felly. Ond, ar y llaw arall, pan ddôi'r hen ddoctor, y gorchymyn fyddai iddi aros yn y gwely. Yna fe fyddai'n rhyddhau ei oriawr aur a'i tsiaen o boced ei wasgod a'i hysgwyd o flaen llygaid y fam.

'Mary,' meddai wedyn, 'mae'ch llygaid chi, 'mechan i, yn mynd yn drwm, drwm, mi rydach chi eisiau cysgu. Mae'ch aeliau chi yn drwm. Methu â'u cadw yn agored . . .'

Ac fe fyddai Mary, ymhen dim, yn barod i roi genedigaeth heb fawr o boen nac angen cyffuriau lladd poen.

Dau feddyg yr oedd y gymdogaeth yn eu hanner addoli oedd y ddau yma. Hen ddoctoriaid teulu wedi eu cysegru eu hunain i'w gwaith. Pe bae rhywun arall heblaw yr hen ddoctor wedi ceisio mesmereiddio, fe fuasai yna dipyn o rycsions.

Newidiodd pethau ddim llawer hyd y pum a'r chwedegau, hyd nes i'r hen ddeddfau Gwrachod a Chrwydriaid gael eu diddymu. Unwaith roedd rhain wedi eu diddymu roedd y ffordd yn glir i bob math o arbrofi fynd ymlaen ym maes y paranormal.

Cafodd pobol oedd yn byw mewn tai cyffredin blwc i gyfaddef fod yna ysbryd neu ddau yn rhannu'r tŷ efo nhw, ac yn eu plith bobol Blaenau Ffestiniog. Dechreuodd dynion a merched oedd yn gwybod fod ganddyn nhw ddoniau *mediumistic* ymarfer eu crefft heb ofni cael eu cyhuddo o fod yn wrachod ac yn grwydriaid. Dangosodd canlynwyr Dr. Mesmer eu galluoedd ac fe ddaeth y gair *hypnotherapist* yn derm meddygol parchus.

Dyma hefyd gyfnod Sigmund Freud a'i ddarganfyddiad o'r meddwl anymwybodol *(unconscious mind)*. Dysgodd Freud fod llawer iawn o afiechydon meddyliol yn deillio o'r ffaith fod pobol oedd wedi dioddef hen brofiadau blin, cas a phoenus yn gallu eu hel i lawr i'r meddwl anymwybodol a'u cloi yno a'u hanghofio am eu bod mor atgas. Ond, meddai Freud, er eu hanghofio roedden nhw'n bresennol o hyd yn yr isymwybod a thros amser roedden nhw'n crawnio a chasglu ac yn achosi pob math o afiechydon meddyliol. Yr unig ffordd, meddai Freud, i gael gwared â'r clefydau meddyliol hyn oedd trwy ryddhau'r ofnau yma oedd wedi eu cuddio. I wneud hyn defnyddiai Freud gyffuriau i ymlacio'r claf, a thro arall byddai yn ei fesmereiddio. Ar ôl yr ymlacio gallai'r hypnotydd ei dywys yn ôl, flwyddyn ar ôl blwyddyn, cyn belled â'i fabandod os mai yn y cyfnod hwnnw y cuddiwyd yr hyn oedd yn achosi'r loes. Fel roedd y claf yn dod yn nes ac yn nes at gyfnod y dolur, roedd y therapydd yn ei weld yn mynd yn fwy a mwy gwinglyd ac anghyfforddus ac yn anfodlon agor y drws i neb weld yr hyn oedd wedi ei gladdu ers blynyddoedd.

Fe ddywedodd un therapydd wrthyf am ddyn deugain oed, wedi ei hypnoteiddio, yn mynd yn ôl i awr ei eni ac yn ail-fynd trwy boenau aruthrol ei enedigaeth ei hun ac yn gweiddi allan,

'O 'mhen i, fy mhen i. Peidiwch â gwasgu fy mhen i.'

Canfod wedyn ei fod wedi ei eni yn fabi naw pwys a chwe owns i fam fach ifanc oedd ag esgyrn pelfig hynod o fychan. 'Y hi,' oedd wedi achosi'r boen aruthrol yma iddo. 'Y hi,' hefyd oedd cariad mawr ei fywyd, felly ni ellid ei beio 'hi'; mae'n rhaid ei fod 'o' wedi haeddu'r boen a'r unig beth i'w wneud efo'r fath atgof oedd ei gladdu yn ddwfn yn y meddwl anymwybodol. Roedd y therapydd yn sicr pe bai'r gŵr yma wedi ei eni drwy ddull *Caesarian* na fuasai arno angen mynd at seiciatrydd ddeugain mlynedd yn ddiweddarach.

Yng nghyfnod y chwedegau, a rhyw ddeng mlynedd ar ôl i Roger Bannister daranu drwy ffin y filltir bedwar munud y clywais i am ffin arall, un seicolegol, oedd wedi ei thorri yng Nghaerdydd gan ŵr o'r enw Arnall Bloxham, oedd yn therapydd hypnothetic ac yn gweithio fel iachawr yng Nghaerdydd. Hyd hynny doedd neb wedi gallu ymestyn cof person ymhellach na chyfnod ei enedigaeth. Rhyw ddiwrnod llwyddodd Bloxham i fynd â merch oedd wedi ei mesmereiddio yn ôl i'w phlentyndod, drwodd i'w babandod ac yna yn sydyn drwy'r ffin ac i fywyd newydd hollol wahanol, bywyd cyn bywyd, oedd hi wedi'i fyw ganrifoedd ynghynt.

Ac nid un bywyd yn unig. Roedd y ffeithiau yno i ddangos fod y wraig hon wedi byw sawl gwahanol fywyd ar y ddaear. Daeth eraill dan ei ddylanwad, ac unwaith roedd y ffin i lawr roedd yna nifer fawr yn tystiolaethu, dan hypnoteg, eu bod wedi byw ar y ddaear o'r blaen ac yn gallu cofio'n eithaf cywir ym mhle a pha fath fywyd. Dyma, meddai Bloxham, brawf o Adenedigaeth *(Reincarnation)*. Dyma ddangos mai'r Hindŵ a'r Moslem oedd yn gywir am yr ail fywyd ac nid y Cristion. Fe ysgrifennwyd llyfr am y darganfyddiad a chyhoeddodd y BBC ffilm *The Bloxham Tapes*. Ar y tapiau hyn roedd lleisiau'r rhai oedd wedi eu taflu'n ôl i fywydau cynt yn disgrifio'r bywydau hynny.

Ysgrifennais at Arnall Bloxham wedi i mi ddarllen y llyfr a gweld y ffilm i ddweud cymaint yr oeddwn yn edmygu ei ymchwil a'i amynedd ond dydw i ddim yn meddwl i mi gael ateb. Dywedais hefyd na allwn i byth gydweld â'i gasgliad terfynol, sef bod yr arbrofion hyn yn dangos i sicrwydd mai'r wobr fawr ar ôl marw oedd dod yn ôl i'r hen fyd yma fel cymeriad gwahanol, ac ambell waith hefyd o ryw gwahanol.

Fe soniais wrtho am y *medium* bach het fowlar o Birmingham oedd wedi siarad â ni yng Nghymraeg sir Ddinbych, a dywedais na fuasai'r cyfrifydd hwnnw o Sais byth yn honni fod hynny'n brawf ei fod wedi byw bywyd blaenorol fel tafarnwr o Gymro yn Ninbych, mwy nag y buasai Bob Price yn honni ei fod yntau wedi byw gannoedd o flynyddoedd yn ôl fel mynach yn Nhibet.

Y cwbwl fuasai'r ddau hyn yn ei ddweud fuasai eu bod nhw, drwy fynd i drans (dydi hypnoteiddio ddim ond rhywbeth tebyg) wedi gallu symud i'r ochor dipyn bach yn eu cyrff eu hunain i wneud lle i enaid arall ddod i mewn a siarad drwyddynt. Roedd yr ysbrydion dieithr wedyn yn symud allan ac roeddynt hwythau yn dod atynt eu hunain. A dyna'n union oedd yn digwydd i holl 'gymeriadau' Bloxham.

Roedd Bloxham hefyd yn dweud fod ei arbrofion yn esbonio sut yr oedd gan rai plant ifanc ar hyd yr oesoedd ddoniau anghyffredin; llawer wedi cyfansoddi symffonïau cyn bod yn ddeg oed, eraill efo gwell crap ar fathemateg yn bump oed nag ambell fyfyriwr coleg. Prawf, meddai Bloxham, fod y rhain wedi bod yn y byd o'r blaen a'u bod rywsut yn gallu sugno gwybodaeth o'u bywydau blaenorol. Dywedais wrtho am fy ffrind, Winnie Marshall, sydd yn gallu tynnu lluniau hyfryd ond sydd yn cyfaddef na all hi dynnu llun ŵy iâr ar ei phen ei hun. Dal y brwsh yn unig mae Winnie, meddai hi; ei *guides* hi sydd yn tynnu'r lluniau. Fuasai Winnie Marshall byth yn breuddwydio honni mai hi oedd Constable neu Michelangelo mewn bywyd arall.

Bûm yn poeni tipyn am y ffordd yr oedd Bloxham yn pregethu Adenedigaeth. Meddyliais ar y pryd y gallai ysgwyd seiliau yr eglwys fodern bron cymaint ag y gwnaeth Darwin ganrif ynghynt, a wyddwn i ddim am yr un diwinydd yn unman i wrthsefyll ei athrawiaeth.

Rydw i'n cofio dod adref ryw noson ar ôl bod yn pregethu diolchgarwch yn Sir Fôn a throi radio'r car ymlaen. Clywed cynffon rhaglen lle roedd rhyw hypnotydd wedi mynd â merch ifanc yn ôl yn ei bywyd i'r adeg pan oedd hi tua chwech oed. Roedd y wraig yn adrodd iddo, mewn llais plentyn, y darn yr enillodd hi arno yn Eisteddfod yr Urdd bum mlynedd ar hugain ynghynt, ac yn disgrifio iddo amryw o eisteddfodau bach y wlad yr oedd hi wedi cystadlu ynddyn nhw. Fe wrandewais yn astud am enw'r hypnotydd, a'r enw a roddwyd oedd Elwyn Roberts. Fe benderfynais yn y fan a'r lle y byddai yn beth da i mi gyfarfod yr Elwyn Roberts yma.

Ysbryd Tŷ Cyngor

Roeddwn i wedi bod yn edrych am ddau hen gyfaill i mi oedd yn wael, ac ar ddiwedd pnawn braf yn troi fy nhraed tuag adref pan ddaeth bachgen bach tua deg oed ata i. Roedd o'n welw ac yn amlwg wedi cynhyrfu,

'Dydi mam ddim yn dda,' meddai. 'Plîs, ddowch chi i'n tŷ ni?'

Wrth ddilyn yr hen foi bach sylweddolais mai un o chwech o blant Eileen ac Eifion oedd o a cheisiais ddychmygu beth allai fod wedi digwydd i wraig ifanc fel Eileen. Pan gyrhaeddais roedd hi'n eistedd yn y gegin yn syllu yn syth ar y mur o'i blaen, a rhyw olwg o anghrediniaeth ar ei hwyneb, ac yn crynu drosti.

'Beth sydd mater, Eileen?' gofynnais. 'Beth sy'n bod?' Ond dal i syllu ar y pared roedd hi.

'Ydach chi'n sâl, Eileen?' meddwn i wedyn. 'Ydach chi mewn poen?'

'Mi rydw i . . . newydd . . . weld ysbryd,' meddai hi gan ddal i syllu ar y mur o'i blaen.

'Roedd o yn . . . sefyll . . . yn . . . fanna. Mi gwelais i o.'

Ar hyn fe ddaeth gwraig drws nesa i mewn ac mewn dau funud roedd ganddi ffisig ysbryd ar hambwrdd. Dros gwpaned o de fe ddechreuodd Eileen ymlacio tipyn a dyma gael rhagor o groen ar y stori.

'Newydd ddigwydd mae'r peth,' meddai hi.

'Roeddwn i'n disgwyl y plant adre o'r ysgol, ac yn eistedd ar y gadair yma i drwsio crys Eifion. Roeddwn i newydd roi'r pwyth olaf ac yn hel fy nhacla at 'i gilydd pan welais i o. Codi 'mhen a dyna lle'r oedd o.'

'Dyna lle roedd pwy?' meddwn innau.

'Y dyn 'ma yn sefyll ac yn edrych arna i.'

'Oeddech chi'n 'i nabod o?'

'Na, welais i rioed mohono fo yn 'y mywyd. Dyn diarth hollol. Ond nid dyn oedd o,' meddai hi wedyn, 'mi rydw i'n gwybod mai ysbryd oedd o.'

'Disgrifiwch o 'te,' meddwn innau.

'Dyn trwchus yn ei bumdegau, a mwstásh du, hen-ffasiwn ac yn gwisgo dillad hen-ffasiwn hefyd, fel un o'r hogia *Teddy Boys* 'ma.'

'Ddaru o siarad? Ddaru o ddweud rhywbeth?'

'Na, dim ond sefyll yn fan'na a syllu arna i — ond nid arna i chwaith, roedd o fel pe bai o'n gallu gweld trwyddo i.'

'A wedyn?'

'Wedyn, dyma fo'n diflannu.'

Roedd Eileen yn dechrau dod dros y sioc erbyn hyn ac yn gwneud ymdrech i ddod ati'i hun gan fod y plant hŷn yn cyrraedd adref.

'Wel, mae'n rhaid i mi ddechrau gwneud te i'r criw yma,' meddai hi.

Mae'n rhaid i mi ddweud yn y fan hyn y byddai Russell Grant, yr astrolegydd, yn dweud fod arwydd *zodiac* Eileen yn ei gwneud yn berson sydd yn tueddu i ramantu achlysuron bach bywyd. Rydw i'n meddwl hefyd y buasai Eileen yn cydweld â hyn. Mae Eifion, y gŵr, yn hollol wahanol; dyn distaw, tawel a hollol ymarferol. Tybed beth fasa fo'n feddwl o'r hanes ar ôl dod o'i waith. Penderfynais alw yn y tŷ ar ôl i Eifion ddod adref ac ar ôl iddyn nhw gael te. Pan gyrhaeddais roedd y plant allan yn chwarae a dim ond Eileen ac Eifion yn y tŷ.

'Ydi Eileen wedi dweud wrthoch chi am y sgarmes y pnawn 'ma?' meddwn i.

'Ydi,' meddai, 'mae hi wedi dweud.'

'Wel, be ydach chi'n feddwl am y peth?' meddwn innau.

'Wel, wn i ddim beth i'w feddwl,' meddai Eifion. 'Doeddwn i ddim ond yn disgwyl i Eileen neu un o'r plant ei weld o, yna roeddwn i'n gwybod y buasai'n draed moch yma wedyn.'

Dyma Eifion yn mynd ati i ddweud fel roedd o wedi gweld yr ysbryd dair gwaith yn ystod y chwe mis diwetha.

Y tro cyntaf, roedd Eileen a'r plant wedi mynd draw i dŷ nain yn yr un stryd, ac yntau wrthi'n golchi'r llestri te. Roedd o bron wedi darfod sychu'r llestri pan welodd gysgod rhywun yn mynd heibio'r ffenest ac at y drws cefn.

'Roeddwn i'n meddwl fod hyn yn beth rhyfedd,' medda fo. 'Fel rheol dim ond y plant a'r cymdogion sydd yn dod drwy'r drws cefn; drwy'r ffrynt mae pawb arall yn dod, ac er na chefais i ond cip ar bwy oedd yn mynd heibio, roedd o'n ddigon i mi sylweddoli mai dyn diarth oedd o. Fodd bynnag, dyma fi'n sychu 'nwylo ac yn mynd i agor y drws. Ond doedd dim rhaid i mi fod wedi trafferthu. Roedd ein ffrind, yr ysbryd, i mewn yn barod ac yn sefyll rhyngddo fi a'r drws cefn.'

'Beth wnaethoch chi?' meddwn i.

'Wel, doedd 'na ddim rhyw lawer allwn i ei wneud,' meddai Eifion. 'Roedd o'n sefyll rhyngof fi a dihangfa. Allwn i ddim dianc rhagddo fo ac, i ddweud y gwir, dydw i ddim yn meddwl bod ofn arna i chwaith. Roeddan ni'n dau yn y gegin bach yn edrych ar ein gilydd. Dyna'r cwbwl.'

'Am faint o amser y bu hyn?'

'Anodd dweud. Ond mi roedd yn ddigon o amser i mi gael golwg iawn arno fo. Roedd o'r un boi ag a welodd Eileen y pnawn 'ma, rydw i'n sicr o hynny. Dyn byr, sgwâr, 'sgwydda llydan ganddo a chlamp o fwstásh du fel fyddai gan yr hen chwarelwyr ers talwm. Tsiaen wats aur ar draws 'i wasgod,' meddai Eifion, 'a rhywbeth gwyn fel tyrban am 'i ben.'

Ar noson arall, pan oedd Eifion ar ei ben ei hun yn darllen, dyma godi a mynd i'r gegin bach i wneud paned o goffi, a dyna lle'r oedd yr ysbryd eto, yn syllu allan drwy'r ffenest.

'Ddaru o ddim hyd yn oed troi i edrych arna i pan es i i'r gegin,' meddai Eifion. 'Dydw i ddim yn meddwl 'i fod o'n gweld nac yn clywed. Mae o'n meddwl 'i fod o'n byw mewn tŷ gwag.'

Dydw i ddim yn meddwl y buasai ots gan Eifion rannu tŷ efo'r ysbryd ond y peth ola oedd Eileen a'i hepil eisiau oedd lojwr o'r byd tu hwnt i'r llen. Ar ôl hyn fe ddaru ni drio popeth; hongian croes yn y gegin bach, gweinyddu'r cymun sanctaidd yn y tŷ, ond doedd dim yn tycio. Roedd yr ysbryd yn dod yn fwy beiddgar ac erbyn hyn yn ei ddangos ei hun i'r plant hefyd.

Fe benderfynais ffonio'r Elwyn Roberts hwnnw

roeddwn wedi'i glywed ar y radio ychydig amser ynghynt. Efallai y byddai sgwrs neu air o gyngor ganddo fo yn fuddiol.

'Rydach chi'n dweud wrtha i fod 'na deulu bach yn cael eu poeni gan ysbryd,' meddai Elwyn, 'ac rydach chi am i mi helpu?'

'Peidiwch â dweud dim byd am yr ysbryd wrtha i,' meddai. 'Wnaiff hynny ddim ond cymhlethu pethau. Os ydi o'n gyfleus, mi alwa i amdanoch chi yn Ficerdy Llandegai am saith nos Iau nesaf, a mi faswn i'n lecio dod â ffrind efo fi—Mrs Winnie Marshall o Fae Colwyn, sydd yn *medium* hynod o dda.'

A dyna sut y bu imi gyfarfod fy nau ffrind — Elwyn a Winnie — cyfeillgarwch oedd i bontio blynyddoedd.

Ar y nos Iau fe aeth y teulu Parry i lawr y stryd i dŷ nain a gadael goriad eu tŷ nhw dan y mat i ni, bobol yr ysbryd, fynd i mewn. Roedd Winnie ac Elwyn yn gwybod o'r funud yr aethon nhw dros y trothwy fod yna bresenoldeb cryf yn y tŷ. Eistedd i lawr yn y gegin bach ddaru ni a dechrau siarad am y peth yma a'r peth arall. Yna yn sydyn, dyma Winnie yn rhyw ddechrau mwmian canu a siglo yn ôl ac ymlaen yn ei chadair, yna dyma hi'n cydio yn ei phen a golwg fel un mewn poen ar ei hwyneb, ac o'i genau daeth llais dwfn,

'Oh my het, my het, I feel as if I haff had a stroc.

Ac yna roedd hi fel pe bai hi'n mynd i drwmgwsg ac yn gorfod ei hysgwyd ei hun i ddod ohono.

Dyma ymgynghori wedyn ynglŷn â'r hyn oedd wedi digwydd. Roedd y llais dwfn yn dynodi llais dyn (cofiwch chi, doedd gan Elwyn na Winnie ddim syniad sut un oedd yr ysbryd. Dim ond y fi oedd yn gwybod hynny.)

Llais dyn, medden nhw. Llais dyn oedd mewn poen efo'i ben, medden nhw wedyn. Ond nid *'My head my head,'* oedd y dyn wedi ei ddweud ond *'My het my het,'* a *'haff'* oedd o wedi'i ddweud am *'have'* a sillaf drom oedd ganddo yn y gair *stroke*.

Roedd o'n swnio, medden nhw, fel dyn efo acen estron — acen Almaenig efallai. Dyma Elwyn rŵan yn ymlacio cyn taflu ei rwyd yntau. Mae dull Elwyn yn wahanol i bawb arall a welais i erioed. Allwch chi ddim dweud ei fod o'n mynd i drans. Rhyw ymlacio mae o, ac yn ymwybodol o beth sy'n digwydd drwy'r amser. Dydi ysbrydion ddim fel pe baen nhw'n siarad drwyddo fo chwaith; yn hytrach maen nhw'n siarad efo fo. Yna fe fydd o'n dweud yn hollol dawel.

'Mae hi, neu fo, yma efo ni yn y stafell. Aelwyn, siaradwch efo nhw, ffendiwch beth a allwch. Gofynnwch sut y medrwn ni helpu?' Does gan y rhan fwyaf o'r *mediums* rydw i wedi gweithio efo nhw ddim syniad ar ddiwedd sesiwn beth sydd wedi ei ddweud; maen nhw fel pe baen nhw wedi bod mewn trwmgwsg rhyfedd. Ond dydi Elwyn ddim felly; mae o i'w weld yn gwybod o'r gorau beth sydd yn digwydd, ar ein hochor ni ac ar yr ochor arall. A rŵan mae Elwyn yn dweud wrthyn ni.

'Rwy'n ei weld o yn fy meddwl. Dyn byr ond llydan, gwddw fel tarw ganddo a mwstásh du mawr hen ffasiwn. Mae o'n gwisgo siwt o ddillad cig rhost a tsiaen wats aur ar draws ei wasgod. Mae ganddo rywbeth fel tywel molchi am ei ben ac mae 'na waed ar y tywel; oes, ac mae 'na waed ar ei siwt hefyd. Mae o yn amlwg mewn poen dirfawr. Siaradwch efo fo, Aelwyn.'

'Pwy ydach chi gyfaill? Rhowch enw i ni.'

Dim byd.

'Dod yma i'ch helpu chi rydan ni. Ffrindiau ydan ni.'

'Daliwch am funud, Aelwyn,' meddai Elwyn. 'Mae o'n trio dweud rhywbeth wrtha i, rhywbeth difrifol iawn ond alla i ddim deall beth mae o'n ei ddweud oherwydd mae o'n siarad iaith ddiarth; alla i ddim meddwl pa iaith ydi hi.'

Rydw i'n cofio meddwl ar y pryd, pe tae'r iaith yn Ffrangeg neu Almaeneg neu Eidaleg fe fuasai Elwyn, er heb ei deall efallai, yn gwybod pa iaith oedd hi, ond roedd ein hysbryd ni yn siarad rhyw iaith fwy anghyffredin.

'Na,' meddai Elwyn, 'mae o'n siarad Saesneg rŵan. Mae o'n gofyn i mi faddau iddo am rywbeth; na, nid y fi, ond maddeuant yr holl bobol. Mae o'n dweud ei fod o'n gwybod iddo bechu yn ddirfawr yn erbyn ei bobol ei hun a rŵan, ar ôl ei gosb, mae o mewn poen, a fedr o ddim meddwl mynd o'r lle yma oherwydd fod cŵn uffern yn disgwyl amdano y tu allan. Mae o wedi bradychu ei bobol ei hun ac wedi derbyn ei gosb ond mae'r euogrwydd yn dal o hyd. Does dim maddeuant i'w gael am drosedd fel ei drosedd o.'

'Siaradwch efo fo, Aelwyn. Dywedwch wrtho am faddeuant.'

Y noson honno, yn y tŷ cyngor hwnnw, yn fy mhlwy, dyma fynd ati i draddodi pregeth am faddeuant a chariad Duw ac am ddysgeidiaeth yr Iawn ac am i'r creadur bach yma beidio ag ofni symud ymlaen, mai Duw Cariad oedd yn ei ddisgwyl.

Roedd Elwyn yn dweud fod yr ysbryd druan, ar ddiwedd y bregeth, wedi gwenu, wedi troi ei gefn arnon ni a cherdded i ffwrdd.

A dyna fo, roedd y joban drosodd. Euthum dri thŷ i lawr i nôl Eifion ac Eileen.

Fel y dôi Eifion drwy'r drws dyma fo'n dweud, 'Rydach chi wedi cael gwared ohono fo. Mae'r hen fachgen wedi mynd. Mi alla i deimlo'r gwahaniaeth yn awyrgylch y tŷ.'

Rydw i'n cofio Winnie Marshall y funud honno yn rhoi ei dwylo ar ysgwyddau Eifion ac yn dweud wrtho,

'Rwyt ti yn un ohonon ni, 'machgen i. Paid ti byth ag anghofio hynny. Mae gen ti bŵerau cryfion a lle bynnag yr ei di fe fyddi di'n gallu tynnu a gweld rhai o'r byd arall. Dysga sut i ymarfer dy ddawn ac, er mwyn eraill, cadw dy gyfrinach dy hun.'

Ac felly ar ôl cwpaneidiau o de a sgwrs hir fe drodd yr helwyr ysbrydion tua thre.

I Winnie ac Elwyn, roedd hi wedi bod yn noson dda, foddhaol. Roedden nhw wedi medru rhoi cymorth i ysbryd a'i achub o'i boenau a'i unigrwydd. Mae'n fwy na thebyg eu bod wedi gallu rhyddhau ysbryd rhwymedig. Ond roedd fy mhroblem i yn aros o hyd. Doedd y tai hyn ddim wedi eu hadeiladu cyn 1930, felly pan oedd un ohonyn nhw yn cael ei boeni gan ysbryd dyn bach, tew yn nillad yr oes o'r blaen, ac yn enwedig gan ŵr bonheddig o wlad bell a siaradai iaith nad oedd yr un ohonon ni'n ei hadnabod, roedd yn rhaid i mi gael gwybod pam.

Dyma gael map Ordnans cyn 1920 am fy mod yn sicr yn fy meddwl y buaswn yn darganfod fod ffermdy bach neu dyddyn wedi sefyll ar y safle yma cyn i'r tai gael eu hadeiladu. Ond na, doedd yna ddim ond porfa lle roedd bellach res o dai cyngor. Holi a stilio wedyn am wythnosau ond fedrwn i gael dim math o oleuni pam yr oedd gŵr bonheddig o wlad bell, â wats aur ganddo, ac yn gwisgo fel un o oes y brenin Edward, wedi gwneud ei gartref yn y tŷ hwn, a adeiladwyd yn nhridegau'r ganrif hon.

Erbyn hyn roedd pawb wedi dod i wybod am y peth. Roedd dynion y papurau newydd a'r BBC, a chamerâu HTV yn glystyrau o amgylch y tŷ. Mae o'n beth rhyfedd, ond dydw i ddim yn meddwl fod yr un ohonyn nhw wedi gofyn cwestiwn o gwbwl am yr ysbryd — ysbryd ydi ysbryd i bobol papur newydd. Ffeithiau ymarferol oedd hogiau'r cyfryngau am eu gwybod. 'Oedd Cyngor Arfon am roi tŷ arall i'r teulu bach yma?' 'Oedden nhw wedi galw arbenigwr i mewn i hela'r ysbryd allan?' 'A fyddai'r tŷ yn cael ei ailosod i deulu arall?' Fe redodd y stori drwy'r cyfryngau am ddyddiau bwygilydd a thrwy gydol yr amser roeddwn innau wrthi yn ceisio darganfod pwy oedd y creadur yma â thywel gwaedlyd am ei ben ac o ble y daeth.

Dyma gyfarfod ffrind — ffrind roedd ei dad oedrannus wedi ei eni a'i fagu yn y pentref.

'Gofyn i dy dad,' meddwn i, 'ydi o'n cofio a oedd yna dŷ neu weithdy neu rywbeth yn arfer sefyll yn y fan lle mae'r tai cyngor rŵan?'

Y noson ganlynol dyma fo ar y ffôn.

'Rydw i wedi gofyn i'r hen ŵr,' meddai, 'ac mae o'n

dweud nad ydi o ddim yn cofio tŷ o fath yn y byd ar safle'r tai. Ond mae o'n dweud fod 'na, yn ystod y rhyfel cyntaf, felin goed yn union lle mae tŷ Eifion ac Eileen rŵan. Mae o'n dweud hefyd mai Pwyliaid a Rwsiaid oedd yn gweithio'r felin.'

Rŵan, wn i ddim pam roedd Pwyliaid a Rwsiaid yn y pentre bach yma yn torri coed ar ddechrau'r ganrif ond roeddwn i'n gwybod fod hyn yn wir oherwydd i mi weld enwau nifer ohonyn nhw ar gerrig beddi yn y fynwent acw ac roedd yna deuluoedd ag enwau Rwsiaidd arnyn nhw yn y pentref o hyd. Roedd y peth yn dechrau gwneud synnwyr bellach. Gŵr o Rwsia neu wlad Pwyl oedd ein hysbryd. Fawr ryfedd nad oedd Elwyn, y gwyddonydd, wedi adnabod yr iaith.

Dywedodd tad fy ffrind hefyd fel y byddai'r Rwsiaid hyn yn torri'r coed ar y bryn uwchben ac wedyn yn eistedd ar y boncyffion a'u marchogaeth i lawr y llethr at ddrws y felin, a bod llawer ohonyn nhw wedi cael damweiniau a thorri esgyrn wrth wneud hyn.

Ond fe gadwodd fy ffrind y newydd gorau hyd y diwedd. Roedd ei dad, yn ystod y rhyfel, yn rhyw lefnyn un ar ddeg oed. Roedd yn cofio tipyn o helynt yn y pentre un bore Sadwrn. Pump o blismyn yn dod i fyny o Fangor, y pump wedi stwffio i un *Ford saloon* ac yna, yn cerdded yn bwysig i'r hen felin goed. Roedd yna si drwy'r pentre fod un o'r Rwsiaid wedi mynd ar goll. Siaradodd yr heddlu gyda'r dynion yn y gwaith ac fe aethon nhw drwy'r gwersyll gan agor drysau'r gwahanol stafelloedd ond yna, ymhen yr awr, dyma nhw i gyd yn stwffio yn ôl i'r car a dychwelyd i Fangor.

Roeddwn i'n fodlon. Roeddwn wedi cael fy ateb.

Bellach daethai'n amlwg i mi mai'r hyn oedd wedi digwydd oedd fod un o'r gymuned estron wedi tramgwyddo mewn rhyw fodd. Wedi gwneud rhywbeth hynod o ffiaidd ac wedi troseddu yn erbyn ei bobol ei hun. Ei gydweithwyr wedyn wedi cynnal math o lys *kangaroo* a'i ddedfrydu i farwolaeth. Roedd rhywun yn y pentre wedi gweld ei golli ac wedi hysbysu'r awdurdodau ym Mangor. Roedd heddlu rhan-amser y rhyfel wedi archwilio ac wedi derbyn esboniad y lleill mai wedi ceisio mynd yn ôl i Rwsia roedd o am fod arno hiraeth.

Roedd yr atodiad yma, nad oedd y papurau newydd yn gwybod dim amdano, yn cloi'r stori'n daclus iawn. Pan ofynnodd John Roberts Williams i mi ei hadrodd ar y rhaglen radio 'Rhwng Gŵyl a Gwaith' roeddwn yn medru ychwanegu'r pwt am y gŵr o Rwsia.

Ond doedd y stori ddim wedi gorffen eto. Wythnos ar ôl y darllediad ar y radio daeth ffrind o gyfreithiwr ata i ar y stryd.

'Roedd y wraig yn dweud,' meddai, 'ei bod hi wedi'ch clywed yn dweud stori ysbryd ar y radio ac yn sôn am ryw ddyn o Rwsia oedd wedi'i ladd yn y pentre. Mi hoffwn fod wedi'ch clywed chi, oherwydd flynyddoedd yn ôl, pan oeddwn i'n brentis bach mewn swyddfa twrna rydw i'n cofio fod gynnon ni gwsmer oedd yn glaf mewn ysbyty meddwl ers blynyddoedd lawer. Unwaith bob tri mis mi fyddai'r creadur rhyfedd yma yn sgrifennu llythyr i'r swyddfa i sôn am ei fuddiannau ac i ddiolch am ei siec chwarterol, ac roedd paragraff olaf pob llythyr yr un fath ac yn dweud,

"Ac o'ch trugaredd gweddïwch dros enaid fy nhad a

laddwyd gan ei gydwladwyr mewn pentref bach ger Caernarfon. Gweddïwch iddo gael ei wared rhag poenau tragwyddol." '

Ysbryd yr Hogyn Bach

Fel rheol, pobol sy'n byw mewn tai ag ysbryd ynddyn nhw sy'n galw am help, ond y tro hwn roedd pethau'n wahanol. Pwyllgor cymdeithas dai oedd mewn styffâg. Mae'n debyg fod ar rywun angen tipyn o blwc i godi'r ffôn a gofyn am help i gael gwared ag ysbryd o'r tŷ neu ddod i'r Ficerdy yn Llandegai i gyfadde fod arno eisiau cael gwared â'i ysbryd teuluol. Mae llawer wedi dweud wrtha i: 'Rydw i'n teimlo'n rêl ffŵl yn dod yma i ddeud hyn, ond dyma fi yn bod yn berffaith onest efo chi — dydi'r gŵr na fi ddim wedi cysgu i fyny'r grisiau ers tair blynedd, ac mae petha'n mynd yn waeth.'

Ond, y tro hwn, ysgrifennydd Cymdeithas Dai oedd mewn helbul ac yn teimlo'n rêl ffŵl.

Roedd y gymdeithas wedi prynu clamp o hen blasty, a'r bwriad oedd ei droi'n bump o fflatiau moethus. Roedd rhai darnau o ddodrefn wedi'u gadael yn y tŷ ac fe benderfynodd aelodau'r pwyllgor fynd un noson i'w glirio er mwyn i'r gweithwyr gael cychwyn ar eu gwaith. Pan aethon nhw i mewn roedden nhw'n teimlo'r tŷ yn annaturiol o oer ac fe ddywedodd un ohonyn nhw, pe bai'n bosib i frics a mortar fynegi emosiwn, fod y tŷ yma'n ysgyrnygu casineb at y rhai oedd yn ei amddifadu o'i ddodrefn. Roedd aelod arall yn mynnu bod rhywun yn eu gwylio. A pan oedd dau ohonyn nhw wrthi'n rowlio'r carped yn y stafell fwyta, fe ddigwyddodd rhywbeth. Fe ddaeth yr oglau mwyaf dychrynllyd i'w mygu nhw, a pheri iddyn nhw ffoi am eu bywydau i'r awyr iach. Pan ddaeth pawb yn eu holau ymhen yr awr, roedd yr oglau wedi diflannu. Y noson honno fe godwyd y distiau i gael golwg — rhag ofn fod corff wedi'i gladdu dan y llawr. Ond doedd dim byd i'w weld.

Fe aed â llond trelar, a mwy, o bethau o'r tŷ y noson honno, ond er hynny fe adawyd rhai taclau ar ôl yno, oherwydd doedd ar neb eisiau mynd yn ôl y noson honno i'r hen blasty. Ond ddaru neb grybwyll y gair 'ysbryd'.

Roedd y gymdeithas rŵan mewn cyfyng gyngor. Roedden nhw wedi talu am yr hen dŷ, roedd amcan-bris y contractor wedi'i dderbyn, ac roedd y gweithwyr i ddechrau ar y gwaith adnewyddu yr wythnos ganlynol. O dan yr amgylchiadau, dweud dim fyddai orau.

Am wyth o'r gloch y dydd Llun canlynol fe aeth y gweithwyr i mewn, ac am hanner awr wedi deg roedden nhw i gyd allan eto oherwydd, medden nhw, 'fod yna ysbryd drwg yn y diawl tŷ', a'i bod hi mor oer yno fel na fedren nhw ddim cydio yn eu harfau.

Dyma aelodau'r pwyllgor yn penderfynu rŵan y buasen nhw'n mynd i weld rhywun oedd wedi byw yn y tŷ mawr rai blynyddoedd ynghynt. Os oedd yna ysbryd yno fe fyddai Edgar yn siŵr o fod yn gwybod amdano. Fe welodd Edgar nhw'n dod at y drws ffrynt, a chyn iddyn nhw ganu'r gloch roedd o'n ei agor, a'i eiriau cyntaf cyn i neb gael dweud dim oedd, 'O, mae'r gweithwyr wedi gweld yr hen foi bach, ydyn nhw?'

Roedden nhw'n gwybod rŵan fod ganddyn nhw

broblem ar eu dwylo — ysbryd, a hwnnw'n un drewllyd.

Fe ddywedodd Edgar wrthyn nhw am y pethau oedd wedi digwydd yn y tŷ pan oedd o a'i wraig yn byw yno. Drysau'n cau'n glep heb ddim rheswm; gwahanol fannau yn y tŷ yn mynd yn *no-go areas* am eu bod nhw mor ddychrynllyd o oer, a rhywfodd yn elyniaethus eu hawyrgylch. Ac roedd yno hogyn bach, meddai Edgar. Roedd o a'i wraig wedi'i glywed o'n crio sawl gwaith; a phan oedd eu plant nhw yn fychan, a phawb wedi mynd i'w gwlâu, roedd ei wraig ac yntau wedi codi ddwsinau o weithiau i fynd i stafell y plant am eu bod nhw'n crio, a chanfod eu bod yn cysgu'n braf ac mai'r hen foi bach oedd yn crio.

Yna, un diwrnod, roedd Edgar wedi'i weld o. Roedd o'n gweithio yn yr ardd ar y pryd. Pnawn braf o haf, a drws y tŷ yn llydan agored. Yn sefyll ar stepan y drws roedd bachgen bach tua deg oed a gwallt golau ganddo, bron yn wyn, meddai Edgar, a llygaid o'r glas mwyaf anghyffredin. Roedd o'n sefyll ar y stepan yn union fel y buasai unrhyw blentyn arall, a meddyliodd Edgar mai un o ffrindiau bach ei blant o oedd o, ac fe waeddodd arno fo fod y plant i gyd allan yn chwarae. Ond ar hyn, dyma'r hen foi bach llygaid glas yn mynd i mewn i'r tŷ, a dyma Edgar yn gollwng ei raw ac yn ei ddilyn. Pan gyrhaeddodd Edgar y drws ffrynt roedd y bychan hanner ffordd i fyny'r grisiau. Dyma weiddi arno fo: 'Hei, tyrd i lawr. Dwyt ti ddim i fod yn y tŷ.'

Ddywedodd y crwt ddim byd, dim ond rhoi rhyw olwg ddireidus ar Edgar a chymryd cam neu ddau i fyny'r grisiau, fel pe bai o'n ei herio i ddod ar ei ôl a'i ddal.

'Aros di, 'machgen i,' meddai Edgar, a dyma frasgamu ar ei ôl i ben y grisiau cyntaf, ac yna i fyny'r ail risiau, a'r bychan yn carlamu o'i flaen. Ar ben yr ail risiau roedd llofft fach a gwely sengl ynddi, ac fel roedd Edgar ar fin rhoi'i freichiau am yr hen foi bach, dyma fo'n deifio o dan y gwely. Roedd Edgar yn meddwl ei fod o wedi'i gornelu o rŵan, a dyma fo'n rhuthro i afael yn ei sodlau o dan y gwely. Ond fel roedd o'n mynd i gydio yng nghoesau'r plentyn fe ddaeth yr oglau mwyaf ffiaidd, rhyw darth o ddrewdod i'w ffroenau, ac roedd o'n meddwl am funud ei fod o'n mynd i fygu. Efo hances am ei geg a'i ffroenau, fe fedrodd gropian yn ôl i'r ardd ac fe gymerodd bron i hanner awr iddo gael ei wynt ato. Pan aeth o'n ei ôl i'r llofft fach, roedd popeth yn ei le yn daclus a doedd dim golwg o'r hogyn bach, a dim oglau o fath yn y byd.

Ar ôl hyn, fe welodd Edgar a'i wraig yr hen blentyn bach sawl tro. Fe'u clywson nhw fo'n symud o gwmpas y tŷ ac yn crio. Ar adegau eraill, pan oedd eu plant nhw yn yr ysgol, fe glywson nhw sŵn pêl yn cael ei thaflu yn erbyn wal yr iard gefn, ond ar ôl mynd i lawr i edrych, doedd neb yno. Ac roedd y plant wedi dweud sawl tro eu bod nhw, wrth chwarae yn yr ardd, wedi gweld dau lygad glas, glas yn edrych arnyn nhw trwy dwll yn y ffens.

'Felly,' meddai Edgar wrth aelodau'r pwyllgor tai, 'mae arna i ofn fod gynnoch chi broblem go fawr ar eich dwylo. Ond, cofiwch, mae'r hen foi bach yn ddigon diniwed. Wneith o ddim drwg i neb. Yr unig beth ydi, nid fo ydi'r unig un sydd yn y tŷ. Mae'r wraig a finna wedi dod i'r casgliad fod 'na fataliwn ohonyn nhw yn yr hen blas. Ond, chwarae teg, maen nhw i gyd yn meindio'u busnes eu hunain!'

Fe lwyddodd y contractor i berswadio'i ddynion i fynd yn ôl. Ond, ymhen wythnos, roedd y cwbwl lot allan eto. Y tro yma, yr oglau dychrynllyd oedd wedi'u hel nhw allan. Roedden nhw i gyd efo'i gilydd yn cael te naw yn y gegin ganol pan glywson nhw sŵn plop bach a gweld mymryn bach o fwg. Yna fe ddaeth yr oglau mwyaf ofnadwy i'w ffroenau a'u gorfodi i redeg allan i'r stryd gan dagu a phesychu. Roedd y gweithwyr yn sicr yn eu meddyliau mai'r unig beth a allai fod yn achosi'r fath ddrewdod oedd corff wedi'i gladdu dan y llawr.

Meddwl am yr hogyn bach ddaru aelodau'r Gymdeithas Dai. Beth pe bai rhywun wedi'i ladd o ac wedi claddu'i gorff bach o yn y tŷ? Un peth, medden nhw wrth ei gilydd, oedd celu ysbryd: peth hollol wahanol oedd celu corff ac, efallai, gelu llofruddiaeth. A dyma benderfynu galw'r heddlu.

Fe godwyd y lloriau mewn sawl stafell, ac fe wnaed ymchwil gofalus. Fe ddaethpwyd o hyd i esgyrn wedi'u claddu mewn calch mewn un stafell, ond fe ganfuwyd mewn archwiliad fforensig mai esgyrn cath, nid bod dynol, oedd y rhain. Roedd o'n beth eitha arferol ers talwm, mae'n debyg, i gladdu anifeiliaid y teulu oddi fewn i furiau'r tŷ.

Ar ddiwedd yr helbul yma i gyd y daeth ysgrifennydd y gymdeithas ata i i ofyn am help. 'Petaech chi ond yn medru cael gwared â'r ogla dychrynllyd yma,' medda fo. 'Mae aelodau'r pwyllgor, fel finna, yn credu hyd yn oed pe bai'r gweithwyr yn mynd yn eu holau a'n bod ni'n cael gweld darfod y pum fflat, y byddai'r ogla yn dal yno a neb byth isio mynd i fyw iddyn nhw.'

Felly, y noson honno, dyma fynd ar y ffôn a chael gair ag Elwyn, a phennu noson i ymweld â'r tŷ.

Y trefniant oedd ein bod ni'n cyfarfod i ddechrau yn nhŷ ysgrifennydd y gymdeithas. Pan gyrhaeddodd Elwyn a minnau roedd yr holl bwyllgor yno i'n croesawu, ac yn awyddus i ddod gyda ni. Ond fe ddewisodd Elwyn yr ysgrifennydd a dau arall, ac addo i'r gweddill y bydden ni yn ein holau i roi adroddiad ymhen dwyawr. Rŵan, fel arfer, doedd gan Elwyn ddim syniad am ba fath o ysbryd roedden ni'n chwilota — ysbryd dyn, ysbryd merch, ysbryd ifanc, hen ysbryd? Y cwbwl a wyddai oedd fod yma broblem a'i bod hi'n broblem o'r byd arall.

Noson ym mis Tachwedd oedd hi; noson farugog, oer, a'r hen dŷ yn oer ac yn ddrafftiog, a'r unig olau oedd un lamp calor gàs a dwy gannwyll. Ond fu dim rhaid inni aros yn hir cyn i'r perfformans gychwyn. Fe ddechreuodd y drysau ysgwyd ac roedd yr hen dŷ ei hun yn griddfan ac yn tuchan. Fe eglurodd Elwyn fod nifer fawr o gymeriadau yn gwau drwy'i gilydd yn y tŷ a'u bod nhw i gyd yn cerdded i mewn ac allan o'r stafell, a heibio i ni. Ond welodd neb arall ohonon ni yr un ohonyn nhw.

'Rydw i'n gweld merch ifanc hynod o brydferth,' meddai Elwyn wedyn, 'ac mae gen i enw iddi — Anwen neu Rhian. Mae hi tuag ugain oed ac mae golwg anhapus iawn arni. Rydw i'n gallu gweld hefyd i'r ardd, ac yno mae 'na ddau swyddog y fyddin yn eu gwisgoedd unffurf du neu las tywyll, ac ar eu hysgwyddau mae ganddyn nhw fathodyn a llun cleddyfau wedi'u croesi arno. Mae'r swyddog ifanc fel pe bai o'n eiriol ar yr un mewn oed. Enw'r un ifanc ydi Harold neu Harry Grange. Mae ganddo fo dair streipen ar ei fraich ac rydw i'n meddwl y gall o fod yn gapten. Mae'r hyna o'r ddau yn uwch-swyddog, efallai wir yn *general*, a'r enw sy'n dod i mi ydi Stephenson, John Stephenson.'

Roedd Elwyn yn meddwl bod y swyddog ifanc, efallai, yn eiriol am law'r ferch mewn priodas. Yn nes ymlaen fe welodd Elwyn Anwen a'r swyddog ifanc efo'i gilydd, y ddau yn ddigalon yr olwg. Fe'u gwelodd nhw hefyd yn cerdded tuag at yr eglwys ger y llyn, a choed yw o bobtu iddyn nhw. (Roedd ein cymdeithion yn adnabod y disgrifiad o'r hen eglwys ger y llyn, ond nid y coed yw. Wedyn, ar ôl chwilota, y daethpwyd o hyd i foncyffion y coed yw.) Roedd yna hefyd gymeriad arall yn dod i mewn ac allan o'r pictiwr: cymeriad oedd wedi'i wisgo mewn dillad modern, trowsus a jersi *navy blue* a chap llongwr. Richard Jones oedd ei enw ac roedd o'n rhyw hofran i mewn ac allan fel dyn ar goll, heb gymryd fawr o sylw o ddim oedd yn digwydd o'i gwmpas. 'Mae o'n forwr ac eto ddim yn forwr,' meddai Elwyn amdano.

Dyna gael newydd gan Elwyn wedyn fod popeth wedi newid a bod yna barti neu swper crand wedi'i baratoi. Roedd y merched i gyd wedi'u gwisgo mewn gwisgoedd crinolin crand a'r dynion i gyd yng ngwisgoedd swyddogion y fyddin. Yr uwch-swyddog yma, John Stephenson, oedd i'w weld yn croesawu'r gwahoddedigion ac roedd y swyddog ifanc, Harry Grange, ac Anwen yn trio'u gorau i gael cyfle i fynd allan i'r ardd efo'i gilydd ond roedd pawb arall yn eu dal i sgwrsio. Roedd swyddogion y fyddin i'w gweld bron i gyd yn troi yng ngwmni rhyw hen uwch-swyddog, a'r enw gafodd Elwyn iddo fo oedd Harold. Dro ar ôl tro roedd Elwyn wedi gofyn am gyfenw'r gŵr penwyn yma, a chael yr un ateb — Harold — ond y tro yma gyda'i deitl, General Harold. Yn y parti roedd sôn mynych am rywun o'r enw Antler, ond er i Elwyn holi a holi chawson ni fawr o oleuni ar yr Antler yma. Ond parti ffarwél oedd hwn. Roedd yn amlwg fod y rhan fwyaf o'r swyddogion ifanc ar fin cychwyn dyletswyddau dros y môr ac roedd Elwyn yn dechrau gweld darluniau yn ei feddwl o adeiladau yn India. Ac roedd Capten Harry Grange yn sicr o fod ymhlith y rhai oedd yn mynd i ffwrdd a dyna pam roedd arno fo ac Anwen gymaint o eisiau bod ar eu pennau'u hunain y noson hon.

Pan aeth Elwyn a minnau i lawr y grisiau i gael ysbaid bach fe welais i Elwyn yn cael ei luchio yn erbyn wal y gegin, a dyna fel y bu am rai munudau, yn edrych yn union yr un fath â'r bobol ifanc sy'n mynd ar yr hyrdi-gyrdis yn y ffeiriau, a'u cyrff yn fflat yn erbyn mur y peiriant. Yr unig wahaniaeth oedd bod Elwyn yn edrych fel dyn oedd dros saith troedfedd o daldra. Doedd dim i'w wneud ond disgwyl, ac yn raddol fe welais Elwyn yn dadebru ac yn dod ato'i hun a dechrau siarad unwaith eto fel pe na bai dim o gwbwl wedi digwydd iddo.

Roedd ein cyfeillion o'r Gymdeithas Dai yn cadw cyfri taclus o bopeth oedd yn cael ei wneud a'i ddweud, a dyma benderfynu, am ei bod hi mor oer yn y tŷ, ddychwelyd i dŷ'r ysgrifennydd am baned ac i ddweud wrth y lleill beth oedd wedi digwydd hyd yn hyn.

Doedd y gwrandawyr yn y tŷ ddim wedi'u synnu o gwbwl ein bod ni wedi dod o hyd i giawdi fawr o ysbrydion na chwaith fod eu hanner nhw yn swyddogion y fyddin. Ond roedd Richard Jones, y 'morwr oedd ddim yn forwr' yn newydd iddyn nhw i gyd. Pan ddywedais y stori am Elwyn yn cael ei sodro yn erbyn wal y gegin ac yn tyfu i fod dros saith troedfedd, dyma un ohonyn nhw'n cofio i Edgar ddweud fel roedd o un noson wedi hepian cysgu o flaen y teledu ac wedi deffro'n sydyn i weld dyn anferth o fawr yn syllu i lawr arno.

Fe benderfynwyd wedyn anfon enwau'r swyddogion yr oedden ni wedi'u cyfarfod i guradur Amgueddfa'r Ffiwsilwyr Cymreig yng Nghaernarfon. Fe roddwyd enw'r Capten Harry neu Harold Grange a holi am unrhyw wasanaeth a wnaeth o yn India tua 1860; John Stevenson neu Stephenson a oedd efallai yn general; a General Harold?, a hefyd 'Antler'.

Roedd yr ateb yn ddiddorol. Doedd y wybodaeth roedden ni wedi'i hanfon iddo ddim yn hollol gywir, meddai'r Archifydd. Roedd yn amlwg ei fod o'n disgwyl yr un cywirdeb gan ysbryd ag y buasai gan sarjant-major! Doedd ganddo ddim cofnod o gwbwl am Gapten Harry Grange, a thybed mai holi roedden am y Dirprwy Lawfeddyg Henry Grange? Dyma lythyr curadur yr amgueddfa:

My researches have failed to reveal a Captain Harry Grange. However, as you say, the information in your possession may not be accurate in all respects. In view of this there is one officer who could qualify as the subject of your investigation. Assistant-Surgeon Henry Grange, 47th Regiment of Foot. Born at Portarlington, Queen's County (now County Kildare), Ireland on 1st May 1833. He entered the army as an assistant-surgeon and served on the Staff, and subsequently in the 47th Regiment (later the Royal North Lancashire Regiment) in the Crimean War from 13th November 1854 to the cessation of hostilities in 1856. He was present at the siege and fall of Sebastopol, and at the attack on the Redan on 8th September 1855. Grange was detached from his regiment for special services in India during the Sepoy Mutiny of 1857-1858, and was in medical charge of a Squadron of the 2nd Dragoon Guards at the action at Azimghur on 7th April 1858 on which occasion his horse was shot. The 47th Regiment later proceeded to Canada and was stationed in that country before the end of 1861: it is presumed that Grange would by then have rejoined the regiment. Assistant-Surgeon Grange was dismissed the service by order of a General Court Martial on 17th April 1862. His name was struck from the Army List from that date.

Despite the fact that there are obvious discrepancies concerning the rank and Christian name, the age appears to be approximately correct (Grange would have been 27 years old in 1860). Furthermore he was a member of the medical department and would therefore have won a blue uniform, but not insignia consisting of crossed swords. You will be aware, I am sure, of the danger of making established facts fit a particular series of circumstances. However, I cannot help but feel that the above information could be relevant in this instance.

If I can be of further assistance then please do not hesitate in contacting me, but in any event I should very much like to hear of any further development in this most interesting matter.

Roedd yn amlwg hefyd ein bod wedi tra-dyrchafu'r swyddog oedd yn dad i Anwen. Cyrnol nid General oedd o oherwydd mae'r llythyr yn mynd ymlaen i ddweud:

Lieutenant-Colonel John Stephenson, 17th Lancers.
His date of birth is unknown but it is assumed that he was born in the late 1790s. He joined the 17th Lancers as a private soldier and accompanied the regiment to India, where he served from February 1814 to 1823, including the campaign of 1817-1818 against the Pindarees. Appointed to the regimental pay section on 30th April, 1847. Commissioned cormet, 16th february 1844; lieutenant, 25th September 1845; appointed paymaster, 30th April 1847; appointed paymaster to the Cavalry Depot at Canterbury, 24th Movember, 1857; honorary major, 1st April, 1860; honorary lieutenant-colonel, 8th September 1870; to half-pay, 28th September, 1870.
Major Stephenson served with his regiment in the Crimea (1854-56) and was present at the battles of Alma, Balaclava (where the 17th Lancers took part in the famous Charge of the Light Brigade) and Inkermant, on which occasion he acted as Adjutant to his regiment.

Roedden ni, fodd bynnag, wedi rhoi ei safle cywir i'r General.

Major-General John Casimer Harold
Commissioned ensign, 14th Foot, 25th September 1806; lieutenant, 28th May 1807; captain, 74th Foot, 16th February 1815. Transferred to the 2nd Royal Veteran Battalion; major, 11th Foot, 10th January 1937; lieutenant-colonel, 11th November 1851, retired on full pay; colonel, 14th April 1857; major-general, 1st July 1858. This officer served in the Peninsular war and was present at the Battle of Corunna (16th January 1809) for which he received the medal and clasp.

Gorffennodd y curadur ei lythyr fel hyn,
Os bydd i chi gyfarfod eto yn y tŷ yma, gofynnwch i'r gŵr dawnus sydd yn gallu cael y fath wybodaeth o'r ochor draw, ffugenw pwy ydi 'Antler'?

Pan gawson ni ein hail gyfarfod fe roddodd Elwyn yr ateb pendant mai Antler oedd ffugenw John Stephenson, ac wrth gwrs dyna pam roedd yr enw yn codi'i ben mor aml yn y parti — ond nad oedd neb yn ei weld, oherwydd nad oedden ni'n cysylltu'r enw â'r sawl oedd yn cynnal y parti, sef Cyrnol Stephenson.

Roedden ni i gyd yn ddiolchgar iawn i Amgueddfa'r Ffiwsilwyr Cymreig am eu hymchwil ac am yr addewid i ddal i brocio, oherwydd mae'n ddirgelwch o hyd pam y bu i gymaint o swyddogion y fyddin ddod i'r plasty bach yma mewn treflan fach Gymreig i gynnal eu parti ffarwel cyn mynd i wasanaethu yn yr India yn 1857. Ond rydyn ni'n dal i ymchwilio i'r cwestiwn yma.

Beth bynnag, roedd yn rhaid i mi dorri'r newydd i Elwyn; er mor ddiddorol oedd hanes Anwen a'i chariad a hanes y milwyr crand yma i gyd, ond doedden ni ddim wedi dod o fewn milltir i'r hyn roedden ni'n chwilio amdano nac ychwaith wedi dod at wraidd busnes yr oglau drwg.

Un o natur dawel, radlon ydi Elwyn, a fedra i mo'i ddychmygu yn colli'i dymer, ond pan ddywedais wrtho mai am ysbryd hogyn bach wyth i ddeg oed roedden ni'n chwilio, rydw i'n siŵr ei fod o'n teimlo fel fy saethu.

'O, Aelwyn bach,' meddai. 'Be aflwydd wnaeth i chi feddwl y buasai plentyn deg oed yn gadael ei chwarae ac yn dod i ddal pen rheswm efo criw o hen ffôgis fel ni, ac ateb cwestiynau gwirion hen Berson penwyn? Chwarae teg, Aelwyn,' meddai wedyn.

Ac wrth gwrs, roedd o'n iawn a doedd dim i'w wneud ond ymddiheuro a theimlo'n falch fod y milwyr o'r oes o'r blaen wedi ymddangos i lenwi'r bwlch. Dyma fynd ati wedyn i wneud trefniadau newydd, trefniadau a fuasai efallai yn temtio'r hen hogyn bach i ymuno â ni.

Dyna ofyn tybed oedd y lleill yn meddwl y buasai Edgar yn dod efo ni i'r hen dŷ y tro nesaf. Y munud hwnnw dyma negesydd ar ei draed ac i ffwrdd â fo am dŷ Edgar, ac o fewn saith munud roedd o yn ei ôl ac Edgar efo fo. Oedd, roedd Edgar yn fodlon iawn dod efo ni, a na, doedd o ddim yn meddwl y buasai ei wraig o'n gallu dod. Felly, fe drefnwyd y dyddiad a'r amser ar gyfer y cyfweliad nesaf — y tro yma, gobeithio, gyda pherchennog y llygaid gleision a chreawdwr y drewdod.

Yr un cwmni ag o'r blaen aeth i'r tŷ ar yr ail ymweliad, ond y tro yma roedd Edgar wedi ymuno â ni. Roedd Elwyn yn teimlo y buasai cael Edgar efo ni yn gweithio fel abwyd i demtio'r hen foi bach i ddod hefyd. Fe ofynnodd Elwyn i Edgar a fuasai'n caniatáu iddo fo'i helpu i ymlacio fel y byddai'n haws iddo gysylltu â'r plentyn pe bai'n dod. Fe gytunodd Edgar, a chyn pen dim roedd o'n rhyw hanner pendwmpian ar y gadair yn ein hymyl.

Y cyntaf i ddod i mewn i'r stafell oedd Richard Jones, 'y morwr nad oedd yn forwr'. Fe ddaeth i mewn drwy un drws a mynd allan drwy'r llall gan edrych yn syth o'i flaen a dweud dim. Yna, fe ddaeth gwraig weddol ifanc i mewn a rhoi ei henw, 'Elsie Jones'. Gyda hi roedd bachgen bach tua phedair oed a chanddo fo wallt golau a llygaid glas, glas. Roedd Elsie Jones a'r hogyn bach wedi'u gwisgo yn nillad y tridegau. Yn sydyn, dyma hi'n dod at Elwyn, a chan bwyntio at yr hogyn bach dyma hi'n dweud wrtho fo, 'Mi ddaru o foddi pan oedd o'n ddeg oed, yn y llyn lle mae'r cychod.'

Fedrai'r un ohonon ni ddweud pam, ond fe gymerodd pob un ohonon mai yn 1938 roedd y bychan wedi boddi. Yna, dyma Elwyn yn cael negeseuon newydd. Nid Elsie Jones, medda fo, ond Elsie Craddock, ac nid yn y cyffiniau yma yr oedd y bachgen wedi boddi, ond mewn llyn arall ymhell oddi yma.

Cymraes oedd Elsie Craddock, wedi priodi Sais. Roedden nhw'n byw ym Manceinion, ac fe roddwyd enw'r ardal inni hyd yn oed, sef Eccles. Roedd yr hogyn bach yn perthyn i'r sgowtiaid, neu i'r cybiau, ac roedd Elwyn yn ei weld yn blaen yn sefyll yn ei jersi werdd a'i gap. Disgyn ddaru o rhwng y jeti a'r cwch, ac felly y collodd ei fywyd bach. Rhywsut, roedd Richard Jones 'y morwr nad oedd yn forwr', yn gysylltiedig â'r ddamwain. Tybed mai fo oedd taid y bachgen, tad Elsie Jones cyn iddi briodi Craddock. Robin Craddock oedd enw'r bachgen bach, ac er ei fod o'n byw yn Eccles roedd yn amlwg iawn ei fod o'n treulio llawer o'i amser yn y rhan yma o Ogledd Cymru efo'i ffrindiau. Roedd Robin hyd yn oed yn medru siarad tipyn bach o Gymraeg.

Pan ddaeth Robin ei hun i'r stafell atom ni roedd o'n chwarae pêl. Roedden ni'n gallu clywed y bêl yn cael ei lluchio at wal cowt y tŷ ymhell cyn iddo fo ymddangos. At Edgar yr aeth o. Roedden ni'n gwybod hyn oherwydd i ni weld Edgar yn ei hanner cwsg yn estyn ei freichiau allan fel petai'n cofleidio rhywun bychan ac yn ei wasgu ato. Fe ddywedodd Robin wrth Elwyn mai yn Llandudno ar drip roedd o wedi cael y bêl, a'i fod o hefyd wedi cael top yr un diwrnod.

A'r funud nesaf oedd y tro cyntaf i mi weld Elwyn yn cynhyrfu. Yn sydyn, dyma fo'n neidio o'i gadair ac yn pwyntio i gyfeiriad Edgar.

'Mae'r hogyn bach 'ma wedi boddi,' meddai. 'Mae o wedi marw. Mi alla i weld yr hers ddu ac mae'r arch yn edrych mor fychan yn yr hers.'

Ar hyn, dyma Elwyn yn dechrau crio, a dyma ni'n edrych ar Edgar a gweld ei fod yntau'n wylo'n ddistaw a'r dagrau'n treiglo i lawr ei ruddiau. Yna, fe glywson ni sŵn llefain Elwyn yn troi'n grio plentyn, a'r crio plentyn yn mynd ymhellach ac ymhellach ac yna'n peidio. Fe ddywedodd Elwyn ei fod o'n gweld Elsie Craddock yn rhedeg ar ôl ei phlentyn ac yn ei godi yn ei breichiau. 'Maen nhw wedi dod o hyd i'w gilydd,' meddai. 'Ddaw Robin bach ddim yn ei ôl eto.'

Roedd aelodau pwyllgor y gymdeithas dai wedi dod aton ni yn y lle cyntaf i ofyn am help i achub eu buddsoddiad ariannol, ond erbyn hyn roedd pob un ohonyn nhw wedi dod yn ymchwilwyr seicicyddol brwd. Rydyn ni'n gwybod bod y ddamwain wedi digwydd rywle ar draws y flwyddyn 1938. Fe ddigwyddodd, efallai, yn Eccles, Manceinion, neu efallai ei bod wedi digwydd pan oedd y bachgen yn gwersylla efo'r sgowtiaid. Mae'n harchwilwyr wedi anfon at sawl cofrestrydd marwolaethau ym Manceinion, a hefyd at swyddogion y sgowtiaid ym Manceinion, ond heb y ffeithiau llawn mae'n anodd cael y wybodaeth allan o ddwsinau o gofrestrau.

Yr enw ydi Robin Craddock. Bu farw drwy foddi yn 1938, ac yntau'n ddeg oed. Pwy oedd Richard Jones a'i gap morwr? Beth am y ffrindiau roedd Robin yn sôn amdanyn nhw — Alun a Huw? Fe fuasai'n braf cael eglurhad ar y stori yma a chael clymu'r cyfan ynghyd yn ddestlus.

O.N. Mae'r fflatiau moethus i gyd wedi'u gosod i denantiaid. Erbyn hyn, does dim oglau drwg na sŵn crio. Popeth yn hollol lonydd. Ond mae'n well peidio â rhoi enw'r dreflan fechan lle digwyddodd hyn i gyd.

Ysbryd Achlysurol

Mae'n rhaid i mi fod yn onest a dweud nad ydw i fy hun erioed wedi cyfarfod Ysbryd Achlysurol. Ysbrydion ydi'r rhain sydd yn cynnal eu sioe bach eu hunain ar amseroedd rheolaidd — unwaith y flwyddyn, neu ganol nos bob lleuad lawn, ar eu pen-blwydd neu ar ben-blwydd diwrnod eu marwolaeth. Yr ysbryd achlysurol mwyaf adnabyddus mae'n debyg ydyw Anne Boleyn, sydd, meddir, yn rhodio'r Tŵr Gwaedlyd gan gario'i phen dan ei chesail druan. Dydw i ddim yn meddwl am funud ei bod hi'n gwneud hyn bob nos, dim ond ar achlysuron neilltuol. Ac mae yna sôn am nifer fawr o wŷr bonheddig graenus sydd yn cerdded i fyny ac i lawr grisiau eu hen blastai fel mae'r cloc yn taro hanner nos.

Dro yn ôl rydw i'n cofio darllen fel y bu i nifer fawr o bobol glywed sŵn rhyfedd yn dod o gae cyfagos un noson. Sŵn awyrennau yn saethu i'r awyr a swyddogion yn bloeddio gorchmynion brys. Yn y cae yma, yn ystod y rhyfel, roedd gwersyll *Spitfires*.

Roedd popeth yn dod yn fyw unwaith eto, y peiriannau yn troi, seirenau'n sgrechian a dynion yn gweiddi. Roedd yn ymddangos fod y lle, unwaith y flwyddyn, neu unwaith bob deng mlynedd, yn dod yn fyw ac yn ailactio drama fawr a ddigwyddodd yno un noson yn ystod Brwydr Prydain.

Rydw i wedi meddwl llawer am hyn. Tybed a ydi

dynion marw yn dod yn ôl i'r ddaear i ail-greu rhyw achlysur bythgofiadwy yn eu bywydau? Ynteu a oes yna rai digwyddiadau mewn bywyd sydd mor ddwfn eu hemosiwn: rhyw gariad mawr, rhyw ofn dychrynllyd, neu ryw gasineb dieflig, fel na allan nhw ddim marw, a'u bod nhw'n eu hailgorddi eu hunain bob hyn a hyn?

Cafodd ffrind i mi brofiad felly sawl blwyddyn yn ôl. Mae o bellach newydd ymddeol o fod yn athro.

'Mi fydda i yn dal i feddwl am y peth,' meddai, 'ond hyd heddiw alla i ddim esbonio'r peth i mi fy hun.'

Fe ddyweda i'r stori yn union fel y clywais hi ganddo.

Pan oedd Peter Edwards yn ddeunaw oed fe enillodd ysgoloriaeth i goleg yn Rhydychen. Y siwrnai ar y trên o Gymru oedd yr un hwyaf i Peter fod arni erioed. Gwelodd ei 'sgowt' (fel maen nhw'n galw gwas yn y coleg) Peter yn dod ar draws libart y coleg ac fe aeth i'w gyfarfod a'i helpu efo'i fagiau a'i arwain i'r ddwy stafell fechan ar ben y grisiau cyntaf oedd i fod yn gartref iddo am y tair blynedd nesaf. Wedi cyrraedd stafell 16, dyma'r sgowt yn agor y drws i Peter gael mynd i mewn yn gyntaf. Stafell fechan oedd hi a grât fechan wedi ei blacledio, a'r sgowt wedi morol fod tanllwyth o dân i'w groesawu. Roedd sinc bach a thap dŵr oer yn y gornel. Gyferbyn â'r sinc roedd drws yn arwain i'w stafell gysgu. Agorodd y sgowt y drws a gafaelodd mewn pwt o raff oedd i'w weld yn hongian o'r nenfwd a'i dynnu. Gyda sŵn fel griddfan anifail mewn poen dyma rywbeth tebyg i silff yn agor o fol y wal, a deallodd Peter mai ar y peth griddfanllyd hwn roedd o i fod i gysgu am rai cannoedd o nosweithiau i ddod. Dyma roi swllt o dip i'r sgowt a dechrau dadbacio.

Wedi i'r sgowt ei adael, cafodd Peter hwrdd o hiraeth. I lawr oddi tano ar lawnt y coleg roedd y myfyrwyr eraill wedi dechrau ymgynnull. Edrychodd Peter arnynt drwy ffenest fach ei stafell gan edmygu eu dillad ffasiynol, yr *Oxford Bags*, a'r siacedi lliwgar na fyddai'r un o'i ffrindiau gartref yn meiddio'u gwisgo. Allai Peter ddim clywed beth oedd y sgwrs ond sôn am y gwyliau roedden nhw mae'n debyg; sôn am deithiau ac anturiaethau mewn gwledydd tramor ymhell dros y môr ac am y cariadon, y *debutantes*, yr oedd rhai ohonyn nhw wedi eu gadael ar ôl yn Llundain, y ddinas nad oedd Peter erioed wedi'i gweld.

Mae'n debyg ei bod ymhell wedi un ar ddeg cyn i'r lawnt oddi tano ddistewi ac i berchnogion y lleisiau *far back*, y bu Peter a'i gyfoedion yn ceisio'u dynwared yn yr ysgol ers talwm, fynd i noswylio.

Wrth dynnu ei byjamas fflanelét llwyd o'i fag cafodd chwa hiraethus o arogl siop Bradleys, lle'r oedd ei fam wedi prynu ei holl ddillad coleg.

Roedd hi'n annaturiol o ddistaw yn yr adeilad mawr hwnnw am hanner awr wedi un ar ddeg ar noswaith dyner ym mis Hydref. Byddai ei fam yn ei gwely bellach, a'i dad, mae'n debyg, ar ei draed yn darllen un arall o nofelau Thackeray. Tybed a oedden nhw yn gweld ei golli gartref? Roedd y ddau ieuengaf efo nhw o hyd. Rhyfedd mor ddistaw oedd hi. Roedd yna dros dri chant o fyfyrwyr yn lletya yn y coleg mae'n debyg, eto roedd ei stafell mor ddistaw â'r un roedd wedi'i gadael yn Llwynypia. Roedd o wedi clywed llawer am y partïon gwyllt a'r pethau oedd yn mynd ymlaen yn y colegau, yn enwedig yn Rhydychen. Y myfyrwyr crand oedd ar y lawnt hanner awr yn ôl, doedd bosib fod rhain i gyd yn eu gwlâu am hanner awr wedi un ar ddeg.

Roedd yr hen wely o'r wal yn galed ac yn oer. Roedd ei fam wedi'i rybuddio droeon am wely tamp. Gwyddai hi am sawl gweinidog oedd wedi cael gwely tamp ar deithiau pregethu ac wedi marw o'r herwydd.

'Mi roedd hi'n hydion cyn i mi fedru mynd i gysgu,' meddai Peter, 'a hyd yn oed pan ddaeth cwsg doedd o ddim fel cwsg gartre.' Rhyw hanner cysgu roedd o ac yn sydyn dyma glywed sŵn torf ar y lawnt dan y ffenest — lleisiau yn gweiddi 'Stafell 16! Yn un deg chwech mae o!'

Sŵn traed wedyn yn dod ar frys i fyny'r grisiau ac aros ar y landing bach y tu allan i'w stafell. Y lleisiau bron yn sgrechian erbyn hyn,

'Gan bwy mae cyllell? Pwy sy'n mynd i'w dorri fo i lawr?'

'Mae'r drws wedi cloi. Rho dy ysgwydd iddo, Nigel.'

Peter wedyn yn clywed drws ei stafell fyw yn cael ei rwygo oddi wrth y wal, yna llais yr arweinydd yn gweiddi,

'Gafael yn 'i goesa fo, Andrew. Ble mae'r gyllell?'

Roedd tad Peter wedi dweud wrtho y bydden nhw'n ragio'r myfyrwyr newydd y noson gyntaf.

'Dim ond dipyn o sbort fyddo o,' meddai'i dad, 'ond i ti ei gymryd yn yr ysbryd iawn.'

'Sbort,' meddai Peter wrtho'i hun. 'Mae'r rhain fel cŵn y fall efo'u gweiddi a'u rhegfeydd a'u cyllyll.'

Doedd dim iddo'i wneud ond agor y drws oedd rhyngddo a'r dorf anwaraidd oedd yn ei fygwth o'i stafell fyw. Agorodd y drws a sefyll o'u blaen yn ei byjamas llwyd siop Bradleys i dderbyn beth bynnag oedd i ddod. Trodd y dwrn a gwthio'r drws yn agored ac ar unwaith dyma'r cynnwrf yn peidio. Dim i'w glywed ond tawelwch oriau mân y bore. Neb o gwbwl yn ei stafell a'i ddrws, oedd funud yn ôl wedi ei hyrddio i'r llawr, yn ôl yn ei briod le ac wedi'i gloi a'i folltio yn union fel yr oedd cyn iddo fynd i'w wely.

Wnes i ddim gofyn i Peter sut roedd o wedi cysgu gweddill y noson. Fe ddywedodd wrtha i fel roedd o wedi mynd i lawr i frecwast y bore wedyn ac i un o'r athrawon ofyn iddo,

'Cysgu'n iawn ar eich noson gyntaf, Mr Edwards?'

Byrlymodd Peter ei broblem ar yr athro diniwed cyn i'r creadur gael hyd yn oed cwpanaid o goffi dros ei wefusau.

'Nid breuddwyd oedd o, syr,' meddai Peter. 'Roeddwn i'n effro. Roeddwn i'n hollol effro pan ddigwyddodd y cwbwl.'

Gwrandawodd yr athro yn ofalus ar stori Peter gan nodio'i ben a phorthi efo rhyw 'Hy-hy' bach yma ac acw. Ar ddiwedd yr hanes trodd at Peter a gofyn iddo,

'Ym mha stafell maen nhw wedi'ch rhoi chi, Mr Edwards?'

'Stafell un deg chwech,' meddai Peter.

'A! Stafell un deg chwech,' meddai'r athro. 'Dyna'r eglurhad ar eich problem chi, machgen i,' meddai. 'Stafell un deg chwech!'

''Dach chi'n gweld, Mr Edwards, mae yna ddau hunanladdiad wedi digwydd yn stafell 16, a'u crogi eu hunain wnaeth y ddau. Digwyddodd un yn 1850 a'r llall, os cofia i'n iawn, yn 1908. Dyna'r esboniad, machgen i,' meddai. 'Y lleisiau yna'n gweiddi "Gan bwy mae cyllell?" a "Pwy sy'n mynd i'w dorri fo i lawr?" a "Gafael yn 'i goesau". Yr hyn glywsoch chi, Mr Edwards, oedd, nid sŵn cynnwrf cig a gwaed ond sŵn ailactio'r hunanladdiad a ddigwyddodd yn eich stafell sawl blwyddyn yn ôl.'

Dywedais wrth Peter fy mod i'n meddwl fod hon yn stori dda a bod esboniad y darlithydd hefyd i'w weld yn eithaf synhwyrol ond aeth Peter ati i esbonio'i benbleth i mi. Pa hunanladdiad oedd wedi cael ei ailactio yn ei stafell y noson honno? Ai hunanladdiad 1850 ynteu hunanladdiad 1908? Os hunanladdiad 1850, popeth yn dda, roedd yna grŵp o ysbrydion wedi dod yn ôl o'r bedd i ailactio'r peth.

'Popeth yn iawn os dyna oedd o,' meddai Peter. 'Enghraifft arall o Ysbryd Achlysur — Anne Boleyn a'i thylwyth.'

Roedd o'n gallu derbyn hyn, er efallai heb ei ddeall. Ond y peth oedd yn poeni Peter oedd beth pe bai yr hyn a glywodd o yn ailenactiad o hunanladdiad 1908.

'Rhaid i ti gofio,' meddai Peter, 'fod hyn wedi digwydd i mi yn 1938, felly doedd y myfyrwyr a glywais y noson honno ond ychydig dros eu hanner cant oed. Doedden nhw ddim digon hen i fod wedi marw.'

Fe allasai y Nigel yna a roddodd ei ysgwydd i'r drws fod, erbyn hyn, yn esgob yng ngorllewin Awstralia, a boi'r gyllell efallai yn feddyg teulu yn Llangefni. Tybed a oedd yn bosib i'r bobol fyw yma allu dianc rhywsut o'u bywyd bob dydd a dod yn ôl, am fflach, i ail-greu, yn stafell un deg chwech mewn coleg yn Rhydychen, rywbeth oedd wedi gwneud argraff aruthrol arnyn nhw ddeng mlynedd ar hugain ynghynt. Tybed, y foment yr agorodd Peter y drws i wynebu ei boenydwyr a chael y stafell yn wag, fod yna esgob yng ngorllewin Awstralia yn jercio'i ben yn ôl ac yn ymddiheuro i'w wraig am bendympian ar ganol sgwrsio â hi. Tybed hefyd oedd yna feddyg teulu, mewn parti yn Llangefni, yn ymddiheuro wrth un hirwyntog a eisteddai wrth yr un bwrdd ag o,

'Mae'n ddrwg gen i, dweud roeddach chi am y poenau yn eich cefn . . .'

'A'r drwg ydi,' meddai Peter wedyn, 'fy mod i'n berffaith siŵr yn fy meddwl fy hun mai hunanladdiad 1908 oedd o.'

Rydyn ni fel Cymry yn bobol eithaf seicic. Mae rhai yn dweud fod ein gwreiddiau ni yn y Dwyrain pell ac fe atgoffais i Peter o'r hen ddywediad Cymraeg:

'Gwell gweld ysbryd dyn marw nag ysbryd dyn byw.'

Yr Ysbryd Symudol

Fel rheol bydd y bobol sy'n cael eu poeni gan ysbrydion yn dod ata i eu hunain i ofyn am help ond y tro yma, oddi wrth nyrs gymuned y daeth yr alwad. Dywedodd mai un o'i galwadau oedd gwraig ifanc a dau o blant bach ganddi oedd yn dioddef o iselder ysbryd. 'Rydw i'n meddwl,' meddai'r nyrs, 'fod problem y wraig bach yma yn fwy perthnasol i chi nag i feddyg. Tybed allech chi fynd i'w gweld? Rydw i wedi dweud wrthi fy mod i am ofyn i chi alw ac mae hi'n eithaf bodlon.'

Bethan James, gwraig ifanc landeg yn tynnu at ei deg ar hugain oedd y wraig dan sylw. Roedd hi a'i dau fachgen bach yn byw mewn bwthyn bach hyfryd yn Sir Fôn a'r tŷ yn sgleinio o bant i bentan. Gwyddai fy mod i'n dod, ac yn gall iawn, roedd cymydog iddi wedi mynd â'r ddau hogyn i'r pwll nofio yn Llangefni, a'u clustiau mawr efo nhw.

Roedd Bethan i'w gweld yn hogan gall, ymarferol, a heb oedi o gwbwl dyma ddechrau ar ei stori.

'Rydw i'n dioddef iselder ysbryd ers rhai misoedd bellach,' meddai. 'Rydw i'n cael tabledi gan y doctor ac mae'r nyrs yn dod i 'ngweld yn rheolaidd, ond dydw i ddim tamaid gwell. Rydw i'n smocio gormod, yn methu bwyta a methu cysgu ac rydw i'n gweiddi ar y plant o'r funud mae'r petha bach yn codi o'r gwely yn y bore.'

'Wel,' meddwn innau, 'os ydi'r doctor a'r nyrs yn

methu â'ch gwella chi, sut ydach chi'n meddwl y galla i'ch helpu?'

'Syniad y nyrs oedd o a dweud y gwir,' meddai Bethan. Roedd hi'n dweud fod gynnoch chi lawer o wybodaeth am ysbrydion a phethau felly. Roeddwn i'n meddwl ei bod hi wedi rhoi'r cefndir i chi.'

'Dim gair, chwarae teg iddi,' meddwn innau. 'Mae hi wedi gadael i chi ddweud y stori o'r cychwyn, os ydych chi'n dymuno.'

Ac yn ddiymdroi, dyma hi'n dechrau.

Nyrs oedd hi, yn ysbyty Bangor. Pan oedd yn ddwy ar hugain oed cyfarfu â Brian mewn disco ym Miwmares. Dechreuodd y ddau ganlyn ac ymhen y flwyddyn roedden nhw wedi dyweddïo. Ond roedd yn sefyllfa ryfedd. Gweithio ar dyddyn bach ei dad roedd Brian; tyddyn tua 30 acer o faint. Roedd gan ei dad lorri anifeiliaid ac am dri diwrnod bob wythnos fe fydden nhw'n cario anifeiliaid pobol eraill i'r farchnad yn Llangefni, Gaerwen a Phorthaethwy. Gweddill yr wythnos fe fydden nhw'n trin y deg acer ar hugain. Dyma unig grefft Brian, aredig efo'r hen dractor 1951 a reidio cab efo'i dad yn casglu a chludo anifeiliaid draws gwlad. Doedd Brian ddim yn cofio'i fam. Bu hi farw pan oedd o'n ddwyflwydd oed ac roedd yr hen Owen Jâms wedi bod yn dad ac yn fam iddo ers hynny. Ac yn dad a mam gofalus iawn hefyd, ond doedd Owen Jâms ddim yn credu mewn talu cyflog.

'Rydw i isio i ti wybod,' medda fo wrth Brian, 'fod yr arian yma iti. Os byddi di isio mynd i'r pictiwrs neu isio prynu record i'r gramaffôn sydd gen ti, mae'r arian yma ond i ti ofyn i mi.'

'Wyt ti'n gweld, Brian,' meddai wedyn, 'pe taswn i'n rhoi cyflog bob wythnos i ti fe fyddai'i hanner o yn mynd i bocad yr hen ddyn treth incwm 'na.'

A dyna oedd sefyllfa Bethan a Brian pan ddyweddïodd y ddau. Dim cyflog i fyw arno, dim ond yr addewid mai Brian, rhyw ddiwrnod, fyddai perchennog y tyddyn a'r lorri anifeiliaid.

Fel y digwyddodd, daeth y diwrnod hwnnw yn ddisymwth iawn. Daeth Brian adref un noson o'i ddosbarth ysgol nos a chael ei dad yn ddiymadferth ar lawr y gegin. Galwyd y doctor a'r ambiwlans ond roedd Owen Jâms wedi marw cyn cyrraedd yr ysbyty. Dywedodd y doctor ei fod wedi cael andros o strôc, ac yntau ond 57 mlwydd oed.

Penderfynodd Bethan a Brian mai dyma'r amser i briodi. Y cynllun oedd i Bethan barhau i nyrsio ym Mangor a theimlai Brian yn siŵr y gallai gadw'r tyddyn a chael rhagor o fusnes i'r lorri anifeiliaid. Mewn dwy neu dair blynedd roedden nhw'n gobeithio cael eu cefn atynt, hel ceiniog neu ddwy a chychwyn teulu. Ond nid felly y digwyddodd pethau.

Aeth y ddau ati i lanhau a sgwrio'r hen dŷ. Llosgwyd llawer o'r hen garpedi a phrynu stwff ail-law yn eu lle yn arwerthiannau Morgan Evans; cyn hir roedd yr hen gartref fel pin mewn papur.

Fe gawson nhw briodas neis ym mis Mehefin ac ymhen chwe mis roedd Bethan yn disgwyl plentyn, ac yn teimlo'n ddigon symol trwy gydol yr amser. Roedd pwysau'i gwaed yn uchel, diffyg haearn, poenau yn ei harennau, ei choesau yn chwyddo; a dweud y gwir roedd popeth yn mynd o chwith. Y diwedd fu gorchymyn gan y doctor fod yn rhaid iddi fynd i mewn i orwedd i'r ysbyty am y tri mis olaf neu golli'r babi. Rhoddodd hynny derfyn ar fwriad Bethan i barhau i weithio a helpu gyda gwaith y tyddyn. Bu Brian yn gweithio o fore tan nos, gan ddwyn awr fach bob dydd i fynd i'r ysbyty i edrych am Bethan.

Doedd hi ddim wedi bod yn flwyddyn rhy dda iddo yntau chwaith. Bu farw un o'r buchod bythefnos cyn mynd i'r mart, roedd biliau'r milfeddyg heb eu talu ac roedd y busnes cario wedi distewi. Y rheswm am hyn oedd fod dau gariwr newydd ar yr ynys a lorïau dau ddec ganddyn nhw ac o'r herwydd roedden nhw'n medru prisio'n is na Brian efo'r hen Bedford.

Ddeuddeng mis, bron i'r diwrnod, ar ôl geni Aled daeth Bryn i'r byd ac roedd yn amlwg y byddai Bethan yn fam amser llawn am flynyddoedd i ddod.

Rhoddodd Brian y gorau i gario efo'r lorri a chymryd gwaith mewn ffatri yn Llangefni. Fel hyn fe ddôi cyflog cyson i'r cartref bob wythnos, ac ychydig bach ychwanegol wrth osod y tir i'w bori. Fe weithiodd pethau'n dda ac er bod Bethan yn gwybod fod Brian yn casáu gweithio dan do mewn ffatri, wnaeth o erioed gwyno. Bu'n gyfnod eithaf hapus i'r teulu bach gyda'r penwythnosau'n rhydd i fynd am dro efo'i gilydd.

Pan gododd Bethan a'r hogiau un bore Sadwrn roedd Brian wedi codi o'u blaenau ac wedi gadael nodyn ar y ddresel.

'Wedi mynd i Lanfair-ym-Muallt. Yn ôl tua saith. Brian.'

Edrychodd Bethan allan ac roedd y buarth, lle'r oedd yr hen Bedford wedi sefyll am fisoedd, yn hollol wag.

Roedd hi'n tynnu am saith o'r gloch pan ddaeth Brian yn ôl, yn ddigon gwelw a chynhyrfus. Roedd William Thomas, Hendre Bach, wedi gofyn iddo gludo deg o wartheg i Lanfair-ym-Muallt a chan fod William yn barod i dalu ar law roedd o wedi penderfynu 'i mentro hi. Fe aeth popeth fel rhuban ar y ffordd i lawr ond ar y ffordd adre roedd o wedi cael ei stopio gan yr heddlu ar Bont y Borth. Fedrai Bethan yn ei byw weld pa ddrwg roedd Brian yn ei wneud yn dreifio'i lorri ei hun yn ôl ac ymlaen i Lanfair-ym-Muallt, ond esboniodd Brian wrthi. Fis ynghynt roedd treth y Bedford wedi dod i ben a chan nad oedd o mwyach yn ei defnyddio, doedd o ddim wedi'i hadnewyddu. Roedd o hefyd wedi diddymu'r yswiriant. Felly, pan stopiwyd o ar y bont doedd ganddo ddim treth nac yswiriant ar y lorri, a byddai hyn yn golygu dirwy o ddau neu dri chant o bunnau.

Y foment honno dyma Bethan, nad oedd wedi dweud gair cas wrtho erioed, yn troi arno ac yn ei alw'n gythraul gwirion, yn blydi, blydi fŵl, gan ychwanegu mai fo oedd y twpsyn mwyaf roedd hi wedi'i gyfarfod erioed a'i bod hi'n gobeithio y buasai'r awdurdodau yn ei roi yn y carchar a'i gadw yno oherwydd fe fyddai hi a'r plant yn well allan hebddo! Trodd ar ei sawdl wedyn a rhedodd i'r llofft a chloi'r drws. Aeth Brian allan i'r buarth. Ddeng munud yn ddiweddarach clywodd Bethan ergyd gwn a rhuthrodd allan. Dyna lle roedd o, wrth y gamfa bach ar y buarth. Doedd dim angen meddyg i ddweud beth oedd wedi digwydd nac i gadarnhau fod Brian yn farw gelain wrth ei thraed.

Roedd popeth yn gymysglyd iawn wedyn. Daeth ei

rhieni i aros. Cynhaliwyd yr angladd, er na chofiai lawer amdano. Fedrai hi ddim hyd yn oed cofio beth oedd wedi digwydd i Aled a Bryn, na phwy oedd wedi gofalu amdanyn nhw.

Aeth ei rhieni gyda hi i'r cwest. Gofynnodd y crwner iddi roi adroddiad o beth ddigwyddodd yn y cartref y noson honno a dywedodd hithau'r hanes orau y gallai. Dywedodd hanes y lorri a'r ffrae fu rhyngddyn nhw o achos nad oedd treth nac yswiriant arni. Yn y cwest y sylweddolodd am y tro cyntaf, nad oedd Brian, y creadur bach, wedi dweud gair yn ôl wrthi tra oedd hi'n ei flagardio fo.

'A beth ddywedodd Mr James pan ddywedsoch chi'r pethau yma i gyd wrtho?' gofynnodd y crwner.

'Ddywedodd o ddim byd, syr. Dim gair o gwbwl, dim ond edrych arna i,' meddai Bethan.

Roedd yr heddlu wedi rhoi tystiolaeth hefyd fel y bu iddyn nhw ei stopio ar y bont a chael nad oedd ganddo drwydded nac yswiriant. Roedden nhw wedi ei rybuddio y byddai'n rhaid iddo ddod o flaen ei well.

'Ond,' meddai'r plismon, 'er ei fod o'n amlwg wedi cynhyrfu o gael ei ddal, chefais i na fy nghydweithiwr mo'r argraff ei fod yn gor-bryderu am y peth.'

Roedd ei feistr gwaith hefyd wedi rhoi tystiolaeth. Dywedodd fod Brian yn weithiwr cydwybodol a'i fod wedi gwneud llawer o ffrindiau yn y ffatri. Na, doedd y meistr gwaith ddim yn meddwl am funud fod y newid o fod yn gweithio iddo'i hun yn yr awyr agored i fod yn gweithio dan do yn y ffatri wedi peri iddo wneud amdano'i hun.

Ar ôl gwrando ar dystiolaeth pawb daeth yn amser

dedfryd y crwner. Dywedodd wrth Bethan na ddylai ei beio'i hun am yr hyn oedd wedi digwydd. Roedden nhw wedi cael ffrae ond roedd pob cwpwl, pa mor hapus bynnag oedd y briodas, yn cael rhyw fath o ffrae o dro i dro ac, yn ei dyb ef ar ôl gwrando yn ofalus ar dystiolaeth pawb roedd o'n weddol siŵr nad oedd a wnelo hyn ddim o gwbwl â'r hyn ddigwyddodd wedyn. Dyma'r crwner wedyn yn mynd ymlaen i restru'r hyn oedd eisoes wedi dod i'r amlwg yn y llys.

Roedd tystiolaeth wedi ei roi am y gwn. Dywedodd arbenigwr balistics yr heddlu fod y gwn mewn cyflwr mor drychinebus fel na allen nhw ei ddychwelyd ar ôl y cwest. Roedd y triger mor ysgafn fel y buasai clep ar ddrws y beudy wedi bod yn ddigon i'w danio. Dywedodd y crwner hefyd iddo gael tystiolaeth fod gan y diweddar Mr James gi ifanc a gwirion, ac y gall'sai'n hawdd fod wedi mynd dan ei draed a'i faglu.

Aeth y crwner ymlaen i roi sylw arbennig i'r fan a'r lle roedd Brian pan fu farw. Roedd o wedi dysgu, ar ôl deng mlynedd ar hugain o brofiad crwner, y byddai dynion a merched oedd â'u bryd ar hunanladdiad, yn dewis yn ofalus iawn y man a'r lle i wneud hynny. Fel arfer, fe fyddan nhw'n dewis sied neu feudy—lle cysgodol; dro arall, cerdded cryn bellter i le anial, allan o olwg pawb. Fyddai neb yn ei saethu ei hun tra'n sefyll ar ris uchaf camfa ym muarth ei gartref.

Rhoddodd y fainc ddedfryd o farwolaeth trwy ddamwain, ac unwaith eto, cynghorodd y crwner Bethan i beidio â hel meddyliau am y ffrae fu rhyngddi hi a Brian cyn y drasiedi. Yn naturiol, roedd hi'n falch mai 'marwolaeth trwy ddamwain' oedd y ddedfryd.

Roedd yr hen dŷ yn wag ofnadwy ar ei ôl, a hiraeth Bethan yn ei chnoi ddydd a nos. Weithiau byddai'n mynd yn drech na hi a methai â chuddio'i theimladau, yna byddai'r tri ohonyn nhw yn galaru gyda'i gilydd am Dad.

Chwe mis ar ôl yr angladd dyma drefnu i roi carreg ar y bedd. Yna ar bnawn braf o haf aeth Bethan ac un o'i ffrindiau i'r fynwent i weld y garreg a cholli ychydig ddagrau uwch ei phen. Tua hanner awr wedi deg y noson honno aeth Bethan i'w gwely. Roedd hi wedi darllen ychydig cyn diffodd y golau a throi i gysgu. Yn sydyn, dyma glywed sŵn 'rap, rap, rap' ar ochor y wardrob a dyma Brian i mewn ac eistedd ar droed y gwely. 'Roeddwn i'n ei glywed o,' meddai.

Roedd pethau yn dechrau symud yn rhy gyflym i mi rŵan.

'Daliwch am funud, Bethan bach,' meddwn i. 'Brian yn dod i mewn ac eistedd ar droed y gwely a chitha'n gallu'i glywed o? Be ydach chi yn ei feddwl? Ddaru o siarad â chi?'

'Na,' meddai hithau. 'Dim siarad, ond roeddwn i'n gallu'i glywed o'n chwibanu. Wel, nid chwibanu mewn gwirionedd, ond rhyw dynnu gwynt trwy'i ddannedd. Bob nos pan fyddai Brian yn dod i'w wely ar fy ôl i mi fyddai'n drymian ei fysedd ar ochor y wardrob 'rap, rap, rap' ac wedyn y chwibanu rhyfedd 'ma trwy'i ddannedd. Ond ar adegau yn unig y byddai'r chwibanu 'ma: pan fyddai yn dod i mewn dipyn yn hwyr ar ôl cael peint neu ddau efo'i ffrindiau, neu os byddai'n teimlo'n annifyr am rywbeth. Mi wyddwn mewn munud pan fyddai ganddo gydwybod euog.'

‘Dydach chi ddim wedi’i weld o, felly?’

‘Na, dim ei weld o,’ meddai hi, ‘ond rydw i’n gwybod cyn gynted ag y daw o i mewn i’r tŷ.’

Roedd ’na batrwm erbyn hyn. Roedd o’n dod ddwy neu dair gwaith bob wythnos, a’r un oedd y drefn bob tro — ‘rap, rap, rap’ ar y wardrob ac wedyn y chwibanu a’r eistedd ar droed y gwely.

‘Ond,’ meddwn innau, ‘roeddach chi’n ei garu o. Pam mae’r ffaith ei fod o’n dod yn ôl yn eich pocni chi gymaint?’

Ac meddai Bethan druan drwy’i dagrau,

‘Roeddwn i’n caru’r dyn yna o waelod fy nghalon. Doedd ’na ddim byd yn ormod gen i i’w wneud iddo fo. Rydw i wedi crio ar ei ôl o nos a dydd. Oni bai am y plant, fuaswn i ddim yn medru byw hebddo fo.’ A dyma’r beth bach yn torri i lawr a chrio o ddifri.

‘Ond rŵan,’ meddai hi, ‘dydw i ddim yn wraig nac yn weddw. Fe ddylai adael llonydd i ni rŵan. Mae o yn farw ac mi rydan ninnau yn fyw; does na ddim lle i’r byw a’r marw efo’i gilydd yn yr un tŷ.

Dywedodd wrtha i wedyn am ffrind ei mam flynyddoedd yn ôl a oedd yn dioddef o’r felan, a’i bod hithau, pan oedd yn blentyn, yn methu â deall beth oedd yn bod arni. Roedd hi’n gwybod erbyn hyn. Bob tro y dôi Brian i’r tŷ roedd yn dod â theimlad o iselder ac anhapusrwydd efo fo. Hyd yn oed drannoeth byddai’n teimlo fel cadach llawr, yn rhy ddigalon i grio hyd yn oed ac fe fyddai’n parhau i deimlo felly ymhell i ganol y pnawn.

Aeth hyn ymlaen am gryn amser tra oedd Bethan a’r plant yn dal i fyw yn y tyddyn. Clywodd gan ei rhieni un diwrnod fod bwthyn bach yn mynd yn wag yn y pentref yn eu hymyl nhw a pherswadiwyd hi y buasai'r pris a gâi am y tyddyn yn ddigon i dalu am y bwthyn, a gadael ychydig wrth gefn; felly dyma symud.

Am dri mis bu hi, Aled a Bryn yn hynod hapus yn y tŷ newydd, ond doedd eu hapusrwydd nhw ddim i barhau. Roedd yna ryw bethau bach yn digwydd — pethau bach oedd yn gwneud i Bethan ddechrau ofni fod Brian yn bwriadu ymuno â nhw. Un noson roedd hi wedi deffro i'r 'rap, rap, rap' ar y wardrob a chlywodd y chwibanu yn dechrau. Gwyddai oddi wrth y sŵn fod Brian wedi pwdu, am eu bod nhw wedi symud tŷ, mae'n debyg. Ar ôl hyn daeth yr hen batrwm yn ôl — y tapio a'r chwibanu ddwy neu dair gwaith yr wythnos a thrwy'r amser fe'i teimlai ei hun yn mynd yn wan a'r iselder fel cwmwl drosti ddydd a nos. Roedd y doctor wedi rhoi tabledi iddi ond gwyddai'n iawn nad tabledi oedd ei hangen ond rhywun i ddweud wrth Brian ei fod o wedi marw ac y dylai adael llonydd i'r byw fyw eu bywydau eu hunain.

Dywedais wrthi fod gen i ffrind a allai ei helpu os oedd hi'n fodlon i mi ailadrodd y stori wrtho fo. Cytunodd y beth fach yn eiddgar iawn gan ofyn plîs, plîs a allwn ni wneud rhywbeth yn weddol sydyn am ei bod hi bron â dod i ben ei thennyn.

Y tro hwn fe ddywedais y stori'n llawn wrth Elwyn. Popeth roeddwn i'n ei wybod am Bethan a Brian. Sut y bu iddyn nhw gyfarfod, hanes y tyddyn, hanes Brian yn cymryd swydd mewn ffatri, hanes y lorri anifeiliaid a'r helynt gyda'r heddlu ar Bont y Borth a hefyd am y ffrae fu wedyn. Dywedais hefyd bob gair o hanes y ddamwain a'r cwest.

Yr hyn oedd o ddiddordeb mawr i mi oedd fod gynnon ni ysbryd yma oedd yn gallu ymfudo gyda'r teulu. Fel rheol bydd gan ysbryd fwy o dynfa tuag at adeilad nag at bobol. Pan fo teulu'n ymadael o dŷ ysbryd, yna fel rheol, mae'r ysbryd yn aros ac yn cyd-fyw efo'r tenantiaid newydd. Roedd Brian rywsut yn torri rhai rheolau seicic, os oes y fath reolau yn bod. Tybiai Elwyn fod hyn efallai yn arwydd o gariad go gryf — cariad oedd yn methu â gollwng.

Pan gyrhaeddon ni'r bwthyn bach yn Sir Fôn roedd popeth yn daclus a del.

Dywedodd Elwyn wrth Bethan fy mod i wedi dweud yr hanes wrtho a'i fod yn meddwl y gallai ei helpu. Gallwn synhwyro ei bod hithau'n teimlo hynny o'r funud y cyfarfu ag Elwyn. Roeddwn wedi dod i'r casgliad fod ganddi allu seicic a dyna pam roedd Brian yn medru tramwyo ar ei hôl dros gaeau a gwrychoedd i'r tŷ newydd.

Fe ddaeth hanes Bethan a Brian i ben yn sydyn iawn y noson honno. Roedden ni wedi bod yn y tŷ am tua deng munud pan ddywedodd Bethan mewn llais bach distaw ond hollol ddi-ofn,

'Mae o yma rŵan.'

'Ydi, rydw i'n gwybod,' meddai Elwyn. 'Mae o'n sefyll yn y cyntedd.' Fedrwn i, druan, weld na theimlo dim. Y foment honno dyma Elwyn yn awgrymu, fel y clywais o'n gwneud droeon o'r blaen:

'Bethan,' meddai, 'mae gynnoch chi ddewis. Mae'n amlwg i mi fod Brian eisiau dweud rhywbeth wrthach chi. Fe all o wneud hyn trwy siarad trwof i a finnau wedyn yn dweud wrthach chi beth mae o'n ei ddweud. Neu, pe baech chi'n caniatáu i mi ddangos ichi sut i ymlacio, mae'n bosib i chi fedru ei glywed eich hun a medru siarad ag o.'

'Ymlacio, plîs,' meddai Bethan.

A dyma'r broses yn cychwyn.

'Rydych chi'n teimlo'n flinedig. Mae'ch breichiau chi'n mynd yn drwm, drwm. Ymlaciwch. Peidiwch ag ofni. Mae'ch llygaid chi'n teimlo'n flinedig. Rydach chi eisiau cau'ch llygaid. Mae'r aeliau'n mynd yn drwm, drwm. Mae cwsg yn agos, agos, agos.'

Ymhen munudau roedd Bethan yn eistedd ar ei chadair a rhyw hanner gwên ar ei gwefusau. Doedd hi ddim wedi ei hypnoteiddio, dim ond wedi mynd i'r cyflwr hapus hwnnw o ymlacio perffaith. Fe welwn i hefyd fod Elwyn ei hun yn ymlacio gan fy ngadael i ar fy mhen fy hun yn y parlwr ffrynt.

Roedd yr hyn ddigwyddodd wedyn yn ddigon tebyg i'r hyn sy'n digwydd yn amal iawn yn Ficerdy Llandegai. Gyda'r nos fe fydd un o'r plant yn galw ar y teliffon; fy ngwraig yn ateb y ffôn a minnau'n rhedeg at yr ail ffôn. Wedyn gallwn gael sgwrs driphlyg gyda'n gilydd. Dyna'n union ddigwyddodd y noson honno. Brian yn galw, Bethan yn ateb ac Elwyn yn gwrando ar yr ail deliffon.

Y cwbwl roeddwn i'n ei glywed oedd llais Bethan.

'Wrth gwrs fy mod i'n dy garu di, Bri. Rydw i wedi bod mewn cariad efo ti o'r diwrnod cynta y gwelais i di.'

'Na, Bri. Doeddet ti ddim yn hunanol. Na, paid â beio ti dy hun, Bri bach.'

'Na, Bri. Dydw i ddim isio clywed. Roeddwn i'n gwybod mai nid damwain oedd hi, ond roeddwn i'n falch, er mwyn y plant, fod y crwner wedi cyhoeddi hynny.'

'Wel, o'r gore, os wyt ti isio dweud, mi wrandawa i.' Eiliadau hir wedyn o ddistawrwydd, yna dau air gan Bethan.

'Diolch, Bri.'

A dyna'r sgwrsio drosodd a'r teliffonau ysbrydol yn cael eu rhoi i lawr a minnau'n cael fy rhoi yn y pictiwr unwaith eto.

'Wel, dyna chi Bethan,' meddai Elwyn. 'Dyna chi'n gwybod rŵan nad damwain oedd hi.'

'Roeddwn i'n gwybod o'r cychwyn, a dweud y gwir,' meddai hithau.

Roedd yn ymddangos fod Brian, o'r munud y bu farw, yn edifar am ei weithred ffôl. Roedd yn ei feio'i hun am ei hunanoldeb yn gollwng ei wraig a'i blant i lawr a'u gadael i frwydro drostyn nhw eu hunain. Dro ar ôl tro roedd o wedi ceisio dweud wrthi faint ei bryder a'i ofid am fod mor ffôl. Ond er iddo weiddi nerth esgyrn ei ben doedd Bethan ddim wedi ei glywed.

Ond heno, roedd pethau'n wahanol. Roedd Bethan wedi ei glywed, roedd o wedi cael siarad â hi ac roedd o'n teimlo'i fod wedi cael gollyngdod ganddi, a hithau ganddo yntau.

Roeddwn i'n teimlo fy mod i wedi cael fy esgeuluso mewn un ffordd; Elwyn a Bethan efo'u gwybodaeth gudd a finnau allan yn yr oerni braidd, a dyma fi'n dweud wrthyn nhw, braidd yn gwta efallai,

'Rydw i'n gobeithio eich bod chi'ch dau wedi rhoi ar

ddallt iddo nad ydach chi ddim isio iddo fo ddod yn ôl yma eto.' A dyma Bethan ac Elwyn yn edrych yn dosturiol arna i a Bethan yn dweud,

'Ddaw o ddim yn ôl eto. Mae popeth yn iawn rŵan.'

'Na, fe allwn ni fynd adra rŵan,' meddai Elwyn.

Roedd popeth wedi gweithio allan mor dda. Roedd Elwyn wedi tynnu ar ei adnoddau seicic, a Bethan wedi byhafio fel merch synhwyrol fel nad oedd dim angen ymchwil ychwanegol. Roedd pob cwestiwn wedi ei ateb. Diwedd y stori.

Gwahanol iawn i'r profiad mewn ysbyty a oedd i ddilyn.

Yr Ewyllys

Nid stori ysbryd ydi hon mewn gwirionedd ond mae hi'n stori sydd wedi creu penbleth i mi am dros ddeng mlynedd ar hugain. Yn yr hen ysbyty Môn ac Arfon y digwyddodd y peth ar un o'r adegau hynny pan oedd yr ysbyty mor llawn nes bod rhaid gosod gwlâu yn y coridorau. Roedd un o'm plwyfolion yn ddifrifol wael — yn marw mewn gwirionedd — ac roeddwn i'n aros efo hi hyd nes y byddai'r mab yn cyrraedd o Birmingham.

Roedd hi'n noson braf ddiwedd Mai ac yn tynnu at hanner awr wedi naw pan gefais gyfle i droi am adref. Rydw i'n cofio i mi ddweud 'nos da' wrth y nyrs a cherdded i lawr y coridor hir rhwng y rhesi gwlâu dros dro, gan gyfarch y cleifion wrth fynd heibio. Roeddwn i wedi cyrraedd y drws pan glywais lais yn fy nghyfarch,

"Sgusodwch fi, syr. Ai gweinidog yr efengyl ydach chi?'

Gŵr bonheddig, dipyn yn writgoch gyda gwallt gwyn a chorun moel yn sgleinio fel swllt newydd, oedd wedi galw arna i. Roedd o tua thrigain oed a golwg glanwaith, rhadlon arno yn atgoffa rhywun o reolwr banc wedi ymddeol.

'Ficar Llandegai ydw i,' meddwn wrtho.

Ar hyn dyma fo'n codi ar ei eistedd yn y gwely, gwthio dwy glustog at y pared y tu ôl iddo a'i wneud ei hun yn gyfforddus. Wrth ysgwyd fy llaw amneidiodd ar i mi eistedd ar gadair ger y gwely. Roedd gen i deimlad wrth eistedd i lawr na welwn i ddim swper y noson honno.

''Sgwn i fasach chi'n gwneud cymwynas â fi, Parch?' meddai'r dyn yn y gwely.

'Gwna i os medra i,' meddwn innau.

'Wel, isio cael gwneud fy 'wyllys ydw i. Mae gen i beiro a thipyn o bapur yn y locar yn fan hyn,' meddai wedyn gan estyn amdanyn nhw wrth siarad.

'Hold on,' meddwn innau, 'rydach chi'n gall iawn yn meddwl am wneud 'wyllys, ond mi fyddai'n well imi ddod yn ôl rhywdro fory i ni gael sgwrs am y peth.'

'Ond nid fory rydw i isio gwneud fy 'wyllys. Heno rydw i isio'i gwneud hi,' meddai tenant y gwely.

Ac yna, yn ara' deg a gofalus, fel pe bai arno fo ofn cael ei gamddeall na digio'i gymwynaswr, dyma fo'n cychwyn ar ei stori.

John Pritchard oedd ei enw ac roedd o'n ffermio dwy fferm fawr yn Sir Fôn, y fo'n byw yn un a'i hwsmon yn y llall. Doedd ganddo fo a'i wraig ddim plant ond ers dros bedair blynedd ar bymtheg roedd chwaer ei wraig yn byw efo nhw ar y fferm. Roedd yr Hollalluog wedi bod yn ffeind wrthyn nhw ac roedden nhw wedi ffynnu, ac efo winc bach dyma John Pritchard yn dweud wrtha i fod ganddo fo hefyd geiniog bach reit handi yn y banc, a dyna pam roedd arno fo eisiau gwneud ei ewyllys.

'Rydw i'n gwybod pe taswn i'n marw'n ddiewyllys na wnâi o ddim gwahaniaeth i Ann, fy ngwraig,' meddai. 'Tipyn o drafferth efo twrneiod efallai ond yn y diwedd hi fasa'n cael y cwbwl.'

'Onid dyna rydach chi isio?' gofynnais innau.

'Wel ia,' meddai'r hen ffermwr, 'mi fasa hynny'n iawn. Mae hi a Margaret, ei chwaer, yn ddigon o ffrindia, a mi fasa Ann yn rhannu efo hi, ond dydi o ddim 'run fath rywsut.'

Roedd John Pritchard yn teimlo fod Margaret, ei chwaer-yng-nghyfraith, wedi gweithio cyn galeted â'r un ohonyn nhw i hel y ffortiwn ac roedd ganddi hawl rŵan i'w chyfran ei hun heb fod yn ddibynnol ar garedigrwydd ei chwaer.

'Diawcs,' meddai'r hen John Pritchard, 'cymerwch chi fod Margaret isio prynu het newydd neu fynd am dipyn o wyliau, dydi o ddim yn iawn iddi orfod gofyn i'w chwaer am yr arian i dalu.'

'Felly,' meddai, 'wnewch chi wneud fy 'wyllys i heno 'ma, plîs?'

'Na wna i,' meddwn innau, 'ond mi ddo i â thwrna efo fi fory.'

Ar hyn dyma'r hen ŵr yn udo fel anifail mewn poen, 'Ond fydda i ddim yma fory. Mi fydda i wedi marw cyn y bore.'

Roedd gen i biti drosto. Roedd o'n hynod o benderfynol ac wedi'r cwbwl, dydi gwneud tamaid o ewyllys ddim yn cymryd llawer o amser. O leiaf dydi'r math o ewyllys mae person plwy yn ei gwneud ddim yn cymryd amser. 'Cloc mawr i William, y mab, y ddresel i Annie May, y ferch, a'r gadair siglo i fy wyres fach, Kylie.' Ond rŵan roeddwn i bron â chael fy ngorfodi i ddosbarthu dwy fferm fawr a hefyd 'geiniog bach reit handi yn y banc'. Teimlwn fod angen rhywun mwy cyfarwydd na pherson plwy yn sgwennu efo beiro ar damaid o bapur oedd yn digwydd bod yng ngwaelod y locer i wneud peth mor bwysig â hyn.

'Rydw i'n rhoi fy ngair ichi,' meddwn wrtho, 'y bydda i yn ôl ben bore fory ac y bydd gen i dwrna efo fi.'

'Rydw inna'n rhoi fy ngair i chitha na fydda i ddim yma bore fory. Mi fydda i wedi marw,' meddai'r hen ŵr.

A dyma fo'n dechrau crefu arna i a dagrau yn powlio i lawr ei ruddiau, 'Plîs, Parch bach, wnewch chi fy helpu?'

Roedd o mor ddiffuant, mor gwbwl sicr ei fod o'n mynd i farw cyn y bore, ac eto roedd o'n edrych mor iach yn ei wely ac roedd ei afael ar fy ngarddwrn i fel feis. A pheth arall, meddwn wrthyf fy hun, fuasai'r nyrsys byth yn gadael gwely claf oedd yn debygol o farw yn ystod y nos allan yn y coridor. Mae argyfyngau yn codi ambell dro pryd y gorfodir awdurdodau ysbytai i osod gwlâu ar hyd y coridorau, ond fydden nhw byth, byth, meddwn wrthyf fy hun, yn caniatáu i neb farw ar goridor cyhoeddus.

A dyma fi'n fy nhynnu fy hun yn rhydd o grafangau'r hen fachgen.

'Hold on am funud,' meddwn i wrtho, 'mi â i i gael gair bach efo'r nyrs am hyn.' A dyma fi'n ffoi fel pe bai'r gŵr drwg ei hun wrth fy sodlau.

'Rhen John Pritchard ydach chi'n feddwl?' meddai hi. 'Yr hen fachgen efo gwallt gwyn yn y gwely wrth y drws yn y coridor?'

'Ia,' meddwn innau. 'Mae o'n dweud wrtha i ei fod o'n mynd i farw yn ystod y nos ac na fydd o ddim yma yn y bore.'

'Gwylied o'i hun,' meddai'r nyrs. 'Mi fydd hi'n

ddrwg arno fo os na fydd o, oherwydd bore fory mi fydd y doctor yn gwneud ei rownds ac yn y pnawn mi fydd John P ar ei ffordd adre at ei wartheg a'i ddefaid yn Sir Fôn.'

Fe sylweddolodd y nyrs fy mod i'n bryderus ac meddai, 'Ewch allan y ffordd yma ac mi â inna i weld 'rhen John a mynd â phaned o de iddo fo. Dim ond triniaeth at *rupture* mae o wedi'i gael,' meddai hi wedyn dros ei hysgwydd.

Roedd hi wedi deg pan gyrhaeddais adref ac roeddwn i'n dal yn bryderus; meddwl tybed oeddwn i wedi gwneud y peth iawn.

Dyma fi'n ffonio caplan yr ysbyty ac esbonio iddo fo beth oedd wedi digwydd.

'Mi â i drosodd i'w weld o rŵan,' meddai'r caplan. Awr yn ddiweddarach dyma fo'n ffonio i ddweud ei fod yntau wedi cael yr un sgwrs ag a gefais i: 'Helpwch fi oherwydd fydda i ddim yma yn y bore.' Ond roedd y caplan wedi bod yn fwy pendant na mi.

'Bore neu ddim, John Pritchard,' oedd ei ateb ac fe ddywedodd wrtha i am beidio â phoeni rhagor ac y byddai o'n trefnu'r cwbwl drannoeth. Roeddwn i'n teimlo dipyn ysgafnach yn mynd i 'ngwely, gan gwybod fod rhywun arall wedi derbyn y cyfrifoldeb.

Wyth o'r gloch bore drannoeth dyma'r ffôn yn canu. Caplan yr ysbyty oedd yna. Y cyfan ddywedodd o oedd,

'Newydd drwg,' meddai. 'Mi gafodd yr hen John Pritchard andros o wasgfa calon yn y nos neithiwr ac mi fuodd farw am bump o'r gloch y bore 'ma.'

Breuddwyd Ynteu Ysbryd?

Dod i ymddeol i'r pentref wnaeth Bob a Doris Evans. Ymddeoliad cynnar. Roedd pobol yn dweud fod y ddau wedi gweithio'n galed ar hyd eu hoes yn cadw siop gornel fach ar Lannau Mersi ac wedi gwneud ceiniog bach reit ddel. Fe fyddai'r hen siop fach yn agored o fore gwyn tan nos a'r ddau yn llawen lafurio er mwyn hel digon o arian i gael treulio hydref eu hoes yng nghysgod Eryri. Fe wyddon ni i gyd am gyplau eraill sydd wedi ceisio gwneud yr un peth. Atgofion hapus am fis mêl bythgofiadwy yn Llandudno, neu wythnos mewn carafán yn y Benllech ac yna ffantaseiddio am y peth ar hyd eu hoes. Ond ar ôl symud o Wigan neu Ellesmere Port ar ddiwedd oes o waith, sylweddoli nad yw mor hawdd gwneud ffrindiau newydd ag oedd hi pan oedd y plant yn fân. 'Pwy fydd ei hunan?' ydi'r cwestiwn wedyn.

Ond roedd sefyllfa Bob a Doris yn wahanol. 'Doedd yr un o'r ddau yn stwffiwrs, ond roedd gwneud ffrindiau newydd yn dod yn hawdd iawn iddyn nhw, ar ôl arfer â phob math o bobol yn yr hen siop fach mae'n debyg. Roedd yn gymorth mawr hefyd fod Bob yn arddwr penigamp. Roedd o bob amser yn tyfu mwy o blanhigion nag oedd arno'u hangen, felly fe fyddai'n eu rhannu gyda'i gymdogion. Roedd o hefyd yn un da am gyngor sut i arddio. Fe fyddai Doris hithau yn barod iawn ei chymwynas ac yn agor ei chartref i gynnal bore coffi at achosion da unrhyw amser.

Bron iawn na allai rhywun ddweud fod y ddau wedi dod yn gnawd o gnawd ac yn asgwrn o asgwrn cymdeithas yn y pentref cyn pen blwyddyn.

Roedd Bob yn ddwy a phedwar ugain pan fu'n rhaid iddo fynd i'r ysbyty i gael llawdriniaeth at y *prostrate gland,* triniaeth a allai fod yn farwol ar un adeg ond sy'n weddol rwydd erbyn hyn. Fe baciodd Doris ei fag a gofalu fod popeth ganddo fo ac i ffwrdd â fo yng nghar Hefin Bowen, eu cymydog, i'r ysbyty erbyn deg o'r gloch ar fore dydd Llun. Fe aeth popeth yn hwylus ac erbyn nos Fawrth roedd Bob yn eistedd i fyny yn ei wely wedi cael y driniaeth ac yn hapus fel y gog. Roedd Doris wedi penderfynu o'r dechrau nad oedd hi am ymweld â fo tan y diwrnod ar ôl y driniaeth; felly fe drefnwyd i Mr a Mrs Bowen alw amdani am ddau o'r gloch bnawn Mercher.

Pan aeth Catrin Bowen i'r drws a churo, doedd dim ateb. Trio'r drws wedyn a galw ar Doris cyn cerdded i mewn. A dyna lle'r oedd hi, yn eistedd yn ei chadair wrth y tân, ei chôt a'i het amdani yn barod i fynd, a hanner cwpanaid o de ar y bwrdd wrth ei hymyl. Roedd gwên fach hyfryd ar ei hwyneb ond fe sylweddolodd Catrin Bowen ar unwaith ei bod hi wedi marw.

Heb ffwdan o gwbwl, fe aeth Catrin Bowen allan at Hefin oedd yn disgwyl yn y car. 'Cerwch i'r ciosg, Hefin, a gofynnwch i Dr Price ddŵad yma ar unwaith.'

Wel, roedd yna dipyn o broblem rŵan. Bob druan yn yr ysbyty ym Mangor yn ei dwtio'i hun cyn i Doris ddod i'w weld a hithau druan wedi marw yn ei chadair yn Llandegai.

Fe ellwch chi ddychmygu ar bwy y disgynnodd y goelbren. Yr hen berson plwy dlawd, medden nhw, oedd yr un mwyaf cymwys i dorri'r newydd i Bob. Dyma fynd i Ysbyty Gwynedd, a 'nghoesau fel plwm wrth gerdded ar hyd yr hen goridor hir 'na lle roedd ward Bob. Taro fy mhen i mewn a'i weld yn gwenu fel giât arna i a'r un pryd yn edrych dros fy ysgwydd i weld a oedd Doris y tu ôl i mi. Fedrwn i ddim dal,

'Newydd drwg sy gen i, Bob bach,' meddwn i. 'Newydd drwg am Doris.'

'Pam, ydi hi'n sâl?'

'Bob bach,' meddwn i, 'mae Doris wedi marw. Wedi cau ei llygaid yn ddistaw y bore 'ma.'

Rydw i wedi darganfod fod yr hen yn gallu derbyn newyddion am farw a lladd a phrofedigaeth yn haws o lawer na'r ifanc.

'Doris druan,' meddai'r hen ŵr, a deigryn yn rhedeg i lawr ei ruddiau. 'Be' ddigwyddodd? Doedd hi ddim yn sâl?'

Egluro wedyn fel roedd Catrin Bowen wedi mynd i'r tŷ i nôl Doris, ac fel roedd hi wedi'i chael hi'n eistedd yn ei chadair, yn barod i gychwyn yn ei chôt a'i het. Fe ddywedais i wrth Bob hefyd beth oedd Catrin wedi'i ddweud am y wên hyfryd oedd ar ei hwyneb.

'Mae'n dda gen i na chafodd yr hen bartnar ddim diodde',' meddai yntau.

'Naddo,' meddwn i, 'ond mae'r doctor yn dweud y bydd yn rhaid cael postmortem, a fedrwn ni ddim trefnu dim nes bydd hwnnw drosodd.'

Roedd Bob yn deall y sefyllfa ac ar ôl munud neu ddau o ddistawrwydd, dyma fo'n dweud,

'Wnewch chi gymwynas â fi, ficar? Wnewch chi ymgymryd â threfniadau'r claddu? Amlosgi oedden ni'n dau isio. Wnewch chi gario 'mlaen hebdda i? Does wybod pryd y ca i ddod allan o fan'ma a dydw i ddim isio i Doris gael ei chadw'n rhy hir.'

Ar ôl hyn roeddwn i'n mynd yn ôl ac ymlaen i'r ysbyty i'w weld o ac i roi cyfle iddo fo'i hun wneud cymaint ag a allai o'r trefniadau. Fe ddywedodd yr hoffai gael organ hyd yn oed os na fyddai digon yn bresennol i ganu emyn, am fod Doris yn hoffi canu.

Ar ôl yr angladd dyma fi'n mynd yn syth i'r ysbyty gan fynd â Llyfr Gweddi gyda mi er mwyn darllen iddo yr hyn gafodd ei ddarllen yn yr Amlosgfa gan gynnwys hefyd y gweddïau. Roeddwn i'n falch o fedru dweud wrtho fod y capel bach yn llawn a'n bod ni wedi canu'r salm 'Yr Arglwydd yw fy mugail' ar Crimond ac *'Abide with me'* yn Saesneg.

Roedd y nyrsys yn synnu mor rhyfeddol roedd yr hen ŵr wedi derbyn ei brofedigaeth. 'Eto y daw y sioc,' medden nhw, a dyma gadw Bob i mewn am wythnos ychwanegol er mwyn cadw llygad arno. Fe drefnwyd iddo gael *home-help* dri diwrnod yr wythnos a *Meals on Wheels* bob dydd Mawrth a dydd Iau. Roedd y cymdogion hefyd, wrth gwrs, yn garedig iawn. Ymhen pythefnos roedd Bob gartref ac yn sôn am fynd i'r ardd. Roedd yn teimlo colli Doris yn aruthrol a'r prif therapi oedd cael sôn amdani wrth bawb a alwai; fel y byddai Doris yn hoffi smwddio a hefyd brolio'r teisennau roedd hi'n wneud bob pnawn dydd Mercher, ac fel y byddai o'n dod â llyfrau iddi o'r Llyfrgell. Roedd pawb yn garedig iawn yn gwrando arno ac yn ei helpu i fwrw'i alar.

Fel yr âi'r misoedd heibio fe ddechreuodd ddreifio'r car unwaith eto ar ôl i Hefin ddod â fo at y drws iddo. Pan beidiodd y Cyngor anfon yr *home-help* i'w gynorthwyo, ei sylw oedd, 'Mae 'na ddigon sy'n waeth arnyn nhw na fi.'

Sut bynnag, roeddwn i'n pasio un bore, tua chwe mis ar ôl claddu Doris, ac roedd yr hen fachgen yn yr ardd a dyma fo'n galw arna i,

'Ficar,' meddai, 'oes gynnoch chi bum munud? Mae gen i dipyn o broblem.'

Fe aethon ni'n dau i'r tŷ ac wedi iddo dynnu'r esgidiau garddio a mynd i roi'r tegell ar y tân i gael paned, dyma fo'n rhoi amlen a llythyr ynddo i mi i'w ddarllen. Roedd yn ddigon hawdd gweld oddi wrth y dwylo crynedig fod Bob wedi cynhyrfu. Bil treth oedd yn yr amlen, un coch, i'w atgoffa mai hwn oedd y bil terfynol.

'Ddoe y daeth o,' meddai, 'a dyma ichi rŵan y bil cyntaf gefais i. Edrychwch ar hwnna.'

'Bil arall,' meddwn i.

'Nage,' meddai. 'Resêt ydi hwnna i ddangos fy mod i wedi talu.'

'Ond does dim stamp arno fo,' meddwn innau, 'Pe tasech chi wedi talu mi fyddai'r ferch fach yn y swyddfa wedi'i stampio efo *Paid with thanks.*'

Ar hyn dyma'r hen fachgen yn troi'n ddigon sarrug,

'Wel, ficar,' meddai, 'dydw i ddim am ddadlau efo chi. Mae'r bil yna wedi'i dalu ac nid fi ydi'r unig un sy'n dweud hynny. Rydw i'n gwybod 'mod i'n anghofio pethe, ond nid fi yn unig sy'n dweud. Fe ofynnais i i Doris neithiwr a mi ddwedodd hi wrtha i 'mod i wedi'i dalu fo. Roedd hi'n cofio i mi fynd i'r post i godi 'mhensiwn ac wedyn 'mod i wedi croesi i Neuadd y Dre i dalu'r dreth.'

Dyma, meddwn wrthyf fy hun, yn union beth ddywedodd y nyrsys yn yr ysbyty, sef mai yn nes ymlaen y dôi'r sioc. Roedd yn rhaid bod yn ofalus rŵan.

'Bob bach,' meddwn i, 'pryd rydach chi'n dweud eich bod chi wedi gofyn i Doris am hyn?'

'Neithiwr,' meddai. 'Neithiwr ddiwetha'n y byd. Roedd hi'n eistedd yn y gadair 'na lle rydach chi'n eistedd rŵan, a dyma fi'n dangos y papur 'na iddi a dyma hi'n dweud am i mi beidio â'i dalu am fy mod i eisoes wedi gwneud hynny, ac mi roedd hi'n cofio'n union pryd.'

''Rhen gyfaill,' meddwn, 'gadewch i ni weithio'r peth allan yn ddistaw efo'n gilydd.'

'Rydach chi'n cofio i chi fynd i'r ysbyty chwe mis yn ôl a chael triniaeth lawfeddygol?'

'Ydw.'

'Ac rydach chi'n cofio i mi ddod i'ch gweld a dod â newydd difrifol o ddrwg i chi?'

'Ydw.'

'Mi ddwedais i wrthach chi fod Doris wedi marw yn'do?'

'Do.'

'Ac ar ôl hynny fe ddois i'ch gweld sawl gwaith i ddweud hanes angladd Doris yn yr Amlosgfa ym Mangor, a dod â labelau'r torchau blodau ichi.'

‘Do,’ meddai Bob eto.

‘Wel, ’rhen gyfaill, mae’n rhaid i chi gymryd gafael arnoch eich hun rŵan. Mae Doris wedi marw, Bob. Mae Doris wedi mynd i’w gwynfyd, Bob bach, a dydi hi ddim am ddod yn ôl i’r hen fyd yma eto. Rhyw ddiwrnod fe fyddwch chi’ch dau efo’ch gilydd unwaith eto, ond nid rŵan, Bob.’

Fe edrychodd Bob ym myw fy llygaid i am funud go dda. ‘Ficar,’ meddai, ‘pan ddaethoch chi i’r ysbyty i ddeud wrtha i fod Doris wedi marw, fe dderbyniais i’r peth fel ffaith gynnoch chi. A phan ddaethoch chi wedyn a dweud fel roeddach chi wedi claddu Doris yn yr Amlosgfa fe dderbyniais i hynny hefyd fel ffaith.’

Yna, gyda chryndod yn ei lais a’i lygaid yn llawn dagrau, dyma fo’n troi ata i ac yn dweud,

‘Pam ynte, ficar, na fedrwch chi dderbyn gen, i fel ffaith, fod Doris yma efo fi neithiwr, a’i bod hi’n eistedd yn union lle rydach chi’n eistedd rŵan, a’i bod hi wedi fy siarsio i beidio ag aildalu’r hen ddiawl bil trethi ’na?’

Doedd gen i ddim ateb i’r cwestiwn yna.

Ysbryd Dyn Byw

Mae'r geiriau *ghost of a living man* yn Saesneg yn swnio'n od. Ond dywedwch yr un peth yn Gymraeg a rywsut neu'i gilydd, mae o'n swnio'n hollol naturiol — ysbryd dyn byw. Fe glywais am bobol wedi gweld ysbryd rhyw berson ac wedyn yn ei gyfarfod ar y stryd yr un noson, yn iach ac yn heini.

Fe gawson ni brofiad tebyg yn y Ficerdy flynyddoedd yn ôl. Roedd Marc, y mab hynaf, oedd ar y pryd yn gweithio ym Manceinion fel newyddiadurwr ifanc, yn digwydd bod gartre dros y penwythnos. Roedd wedi picio i Fangor ac wrth ddod yn ôl, fel pawb arall, yn dod i mewn i'r tŷ trwy'r drws ffrynt. Pan gyrhaeddodd dyma'i chwaer, Felicity, oedd yn yr ysgol ar y pryd, yn edrych arno a'i cheg yn agored.

'Sut doist ti i fa'ma rŵan?' gofynnodd.

'Digon hawdd,' meddai yntau. 'Rydw i newydd fod ym Mangor, rydw i wedi dŵad yn ôl rŵan ac yn mynd i mewn i'r tŷ. O.K.?'

Ond doedd o ddim yn O.K. Roedd Felicity yn hollol bendant ei bod hi wedi gweld Marc yn sefyll yn y stafell fwyta a'i bod hi wedi cerdded heibio iddo fo wrth fynd i agor y drws, a doedd yna 'run ffordd y gallai o fod wedi bod yn sefyll y tu fewn i'r tŷ un munud ac yn canu cloch y drws ffrynt yr un pryd.

'A pheth arall,' meddai Felicity, 'doeddet ti ddim yn

gwisgo 'run dillad. Roedd y wasgod felen 'na gefaist ti gan Mam amdanat ti yn y tŷ.'

Fe ddywedodd Marc fod y wasgod felen yn hongian y funud honno yn ei wardrob yn y llety ym Manceinion. Ond roedd Felicity yn bendant: roedd hi newydd ei weld yn y stafell fwyta yn gwisgo'r wasgod felen pan oedd hi ar ei ffordd i'r drws. Wel, ymhen amser fe anghofiwyd am y digwyddiad, ond roedd fy ngwraig a minnau dipyn hapusach pan glywson ni fod yr hen wasgod felen wedi mynd yn rhy dynn o dan y ceseiliau ac wedi mynd i focs OXFAM. Roedd hyn i gyd ugain mlynedd yn ôl.

Flynyddoedd wedyn y clywais i'r hanes am y Tad Pio, mynach na fu iddo unwaith fynd tu allan i furiau ei fynachlog yn yr Eidal, ond eto yn cael ei weld ger y fynachlog yn aml iawn gan drigolion y pentre a hefyd yn nhai llawer ohonyn nhw, ar gyfnod o dlodi a salwch a hwythau angen cymorth. Pe buaswn i'n gwybod am hanes y Tad Pio amser helynt y wasgod felen efallai na fuaswn i wedi pryderu mai arwydd drwg oedd gweledigaeth y Ficerdy.

Mae peirianwyr heddiw yn gallu rhoi *governors* ('rheolwyr' fyddai'r gair Cymraeg mae'n debyg) yn sownd ar beiriannau i'w rhwystro rhag gor-weithio. Defnyddir hwy ar geir neu fysiau i reoli eu cyflymder a gellir hefyd eu rhoi ar beiriannau cynhyrchu trydan i'w rhwystro rhag cynhyrchu mwy na hyn-a-hyn o drydan. Fe fydda i'n meddwl ambell waith fod y Bod Mawr wedi rhoi *governor* ar ein meddyliau ninnau hefyd. Rydyn ni i gyd yn gallu gweld yn glir beth sydd o'n blaenau a beth sy'n digwydd o'n cwmpas ni; mae'r presennol yn berffaith glir. Rydyn ni hefyd yn gallu edrych yn ôl ac yn aml iawn yn cael pleser wrth gofio'r hyn sydd wedi digwydd i ni, hyd yn oed flynyddoedd lawer yn ôl — dyna'r gorffennol. Ond nid felly'r dyfodol. Rydw i'n meddwl fod y Peiriannydd Mawr wedi rhoi *governor* ar hwnnw fel na allwn ni — yn y byd yma o leiaf — weld beth sydd ar ddyfod. Fe fydda i'n meddwl hefyd fod y *governor* yma, ambell waith, yn llithro a bod person, bryd hynny, yn cael rhyw gipolwg byr ar yr hyn sydd ar ddigwydd. Cipolwg efallai ar ryw gaffi bach ar gornel stryd yn Amsterdam. A'r cip bach yma sy'n galluogi dyn i ddweud ar wyliau yn Amsterdam bedair blynedd yn ddiweddarach,

'Wyddoch chi be, Mary, mae gen i ryw deimlad rhyfedd 'mod i wedi bod yma ryw dro o'r blaen, ac os ydw i'n iawn, mae 'na sgwâr bach ar ôl y tro nesa 'ma a chaffi bach ar y gornel.'

Mae sipsiwn a phobol dweud-ffortiwn yn gallu gwneud i'w *governors* nhw lithro fel y mynnon nhw a gweld yn weddol eglur i'r dyfodol.

Pan ddois i i Fangor yn ystod blynyddoedd y rhyfel roedd yna ddau hen gymeriad annwyl yn cadw post bach yn y dre — William a Lisa Pritchard. Siop bach gwerthu popeth oedd ganddyn nhw a'r rhan swyddogol, y post brenhinol, yn y pen draw tu ôl i gownter mahogani. Mrs Pritchard fyddai'n gofalu am y siop a Mr Pritchard yn ei gôt lwyd fyddai'n delio â busnes y llywodraeth. Roedd y siop mewn gwirionedd ym mharlwr ffrynt y tŷ a phan fyddai busnes yn ddistaw fe âi Mrs Pritchard i wneud paned o de i'r cefn. Ambell dro fe fyddai Mr Pritchard yn mynd i gynhesu ei ddwylo wrth dân y gegin ond fe fyddai un ohonyn nhw bob amser ar ddyletswydd. Os dôi cwsmer i'r siop fe glywech y postfeistr yn gweiddi, 'Siop os gwelwch chi'n dda, Mrs Pritchard,' ac os dôi rhywun i brynu stamp fyddai'r wraig byth yn meiddio mynd y tu ôl i'r cownter mahogani; rhaid oedd galw ar y postfeistr.

Roedd ganddyn nhw fab, Hefin, oedd wedi gwneud yn dda yn yr ysgol ac wedi cael ysgoloriaeth i fynd i'r coleg. Ond roedd y rhyfel wedi torri allan ac roedd Hefin ymhlith y rhai cyntaf i ymuno â'r Awyrlu. Roedd erbyn hyn yn swyddog ac wedi hedfan dros yr Almaen ddwsinau o weithiau i ddadlwytho tunelli o fomiau. Fe fyddai ei reini yn pryderu amdano bob nos olau leuad.

Ond ers chwe mis roedd wedi cael ei symud i Ganada a'i waith yn y fan honno oedd dysgu cadlanciau. Roedd teulu bach y post dipyn tawelach eu meddwl ar ôl i hyn ddigwydd.

Rhyw noson ym mis Tachwedd fe ddeffrôdd Elizabeth Pritchard yn chwys diferol, ac eto'n crynu fel deilen,

'William,' meddai, 'deffrwch, William. Mae Hefin bach ni wedi cael damwain ofnadwy ac mae gen i ofn ei fod o wedi'i ladd.'

'Sut ydach chi'n gwbod, Lisa bach?' meddai William gan ddeffro o'i drwmgwsg.

'Wedi gweld y cwbwl rydw i. Wedi gweld pob munud ohono.'

'Lisabeth bach, wedi cael hen freuddwyd cas ydach chi,' meddai William. 'Mi â i i lawr y grisia i wneud paned i ni'n dau. Mi fyddwch chi'n well ar ôl paned.'

Pan ddaeth yn ei ôl roedd Elisabeth yn edrych dipyn yn well. Roedd yr hen gryndod wedi mynd ond roedd hi'n dal yn welw. Ar ôl yfed y te dyma hi'n troi at ei gŵr,

'William,' meddai, 'rydw i'n gwbod eich bod chi'n meddwl mai breuddwydio wnes i, cael rhyw fath o hunllef, ond nid dyna oedd o, William. Mae'r hyn welais i heno yn wir i chi. Mae Hefin bach wedi cael damwain ofnadwy. Yr unig beth alla i 'i ddweud ydi 'i fod o'n fyw pan adewais i o.'

'Ond Lisabeth bach, be andros ydach chi'n feddwl "pan adewais i o"? Roeddach chi yn eich gwely yn fa'ma, cariad, a mae Hefin yng Nghanada.'

'Gwrandwch, William,' meddai hi wedyn, 'rydw i'n gwbod 'mod i yn fy ngwely ond mi glywais i Hefin yn galw arna i. "Mam, mam" meddai'r peth bach yn hollol blaen, ac mi roedd hi'n gymaint o storm fel na allwn i weld fy llaw o flaen fy llygaid. Yna, dyma fi'n clywed yr hen sŵn "www, www, www" mae'r hen fomars 'na'n ei wneud ac yna mi'i gwelais i hi, rhywbeth mawr, du yn yr awyr yn hedfan mewn storm eira ddychrynllyd, ac mi roeddwn i'n gwybod y munud hwnnw mae awyren Hefin oedd hi, a'i bod hi'n hedfan yn isel, ac yna dyma hi'n hyrddio'i hun i'r mynydd ac ar ôl hynny doedd 'na ddim ond distawrwydd mawr.'

Unwaith eto dyma William yn ceisio'i pherswadio mai breuddwyd oedd o, ond roedd Elisabeth Pritchard yn eithaf siŵr o'i phethau.

'Mi'i gwelais i o, William. Mi welais i drwyn yr hen beth yn hyrddio'i hun i'r mynydd o eira ac yn hongian ar y dibyn mawr 'ma. Yna fe aeth popeth yn hollol ddistaw a dyma fi'n aros i weld oedd Hefin neu un o'r dynion eraill yn dod allan ohoni, ond ddaeth neb. Roedd 'na ryw fymryn o fwg yn codi o dan aden dde'r awyren a dyma fi'n agor y drws ac yn mynd i mewn iddi.

'O cariad bach,' meddai William rŵan. 'Agor drws awyren! Chwarae teg, mae hynna'n dangos mai breuddwyd oedd o. Allech chi ddim agor drws awyren."

'Dyma fi'n agor y drws, William,' meddai hithau, 'ac yn mynd i mewn. Mi roedd 'na bump o ddynion tu mewn iddi. Tri yn y blaen, lle roedd hi wedi taro'r mynydd, ac mi roedd y tri'n farw. Roedd 'na un arall yn y cefn ac mi roedd y creadur bach hwnnw bron wedi'i dorri drwy'i ganol, ac mi roedd yntau'n farw. Yna yng nghanol yr awyren, yn gorwedd â'i wyneb i lawr, roedd Hefin ni. Roedd o wedi cael ergyd i'w ben ac mi roedd 'i goes bach o wedi troi fel tasai hi ddim yn perthyn iddo fo. A, William, rydw i'n meddwl fod Hefin wedi marw hefyd. Rydw i'n siŵr na fedrith neb ddod o hyd iddo fo yn yr eira mawr 'na.'

A dyma Elisabeth Pritchard yn dechrau beichio crio a thrwy ei dagrau yn rhybuddio'i gŵr,

'A pheidiwch chi â beiddio dweud unwaith eto, William Pritchard, mai breuddwyd oedd o oherwydd nid dyna oedd o. Mi welais i'r cwbwl â'm llygaid fy hun.'

Drannoeth wedyn dim ond y postfeistr oedd yng ngofal busnes y parlwr ffrynt. Roedd Mrs Pritchard wedi cymryd ei pherswadio i aros yn y gwely. Pan ddôi cwsmer i'r siop fe ddôi gŵr y post o du ôl i'r cownter mahogani i estyn y cig moch a'r siwgwr, oedd yn cael ei ddogni oherwydd y rhyfel, heb weiddi i'r cefn,

'Siop, Mrs Pritchard.'

Roedden nhw'n arfer cael llythyr gan Hefin bob wythnos ond yr wythnos yma ddaeth yna'r un llythyr. Dywedai William ei bod hi wedi bod yn wythnos ddrwg i'r confois oedd yn croesi'r Iwerydd a bod pawb yn dweud fod llawer o longau yn cael eu suddo.

Aeth tair wythnos heibio cyn i lythyr gyrraedd. Roedd Hefin yn grêt. Roedd o wedi cael ei symud i wersyll arall yng Nghanada ac wedi cael dyrchafiad oedd yn golygu fod ganddo streipen arall ar ei fraich. Roedd y gwersyll newydd yn well lle na'r hen un a'r swydd newydd yn golygu nad oedd yn gorfod hedfan o gwbwl. Darlithio oedd ei waith bellach, a rhywrai eraill yn dysgu'r cadlanciau i hedfan.

Ond roedd yna un anfantais. Am ei fod wedi gorfod newid ei wersyll a'i swydd, roedd rhaid gohirio'i seibiant gartref. Y tebygolrwydd oedd na fyddai'n cael dod adref am o leiaf chwe mis arall.

Ond roedd Hefin yn saff, dyna'r peth mawr, a feiddiodd William ddim dweud gair wrth Lisabeth ei fod o'n gwybod drwy'r amser mai breuddwyd oedd y cwbwl.

Roedd pobol y pentref i gyd yn holi am Hefin wrth ddod i siopa a'i rieni'n falch o gael dweud ei fod yng Nghanada, gan sôn am ei ddyrchafiad a'i swydd newydd yn darlithio i'r cadlanciau yn hytrach na gorfod hedfan.

Pan ddaeth y diwrnod mawr dyma nhw'n llogi tacsi i fynd i'r orsaf. Roedd trên Hefin i fod i gyrraedd Bangor am chwarter i bedwar ac roedd y ddau ar blatfform 3 ymhell o flaen eu hamser a'r tacsi dan orchymyn i aros y tu allan. Fe ddaeth y trên allan o'r twnnel ac arafu cyn cyrraedd y platfform a chyn iddi stopio roedd y drysau'n agor a dynion a merched y lluoedd arfog yn neidio allan ac yn cofleidio'r rhai oedd yn disgwyl amdanyn nhw. Ond doedd dim golwg o Hefin. Roedd dau borter erbyn hyn yn dechrau cau'r drysau er mwyn i'r trên fynd ymlaen i Gaergybi. Yna gwelodd William Pritchard fag glas yr awyrlu yn cael ei luchio allan drwy un o'r ffenestri, yna un faglan, ac wedyn drws yn agor a choes yn dod i'r golwg — coes Hefin. A dyna lle'r oedd o yn sefyll ar y platfform yn pwyso'n drwm ar ei faglan arall, ond yn gwenu'n braf. Fe redodd yr hen bobol tuag ato a'i gofleidio. Roedd Hefin wedi'i glwyfo ond roedd o'n fyw.

Soniwyd yr un gair am y baglau ar y siwrnai adref. Roedd Hefin eisiau gwybod sut oedd Harriet y gath, a oedden nhw'n cael digon o fwyd i'w cadw, a hefyd a oedd yr hen Jâms Jones yn dal yn fyw o hyd.

Ar ôl te y dywedodd William Pritchard,

'Rydw i'n gweld dy fod ti wedi dy glwyfo, 'machgen i.'

A dyma Hefin yn dechrau ar ei stori.

Roedd o a'i griw yn ymarfer uwchben Alaska pan aethon nhw i ganol storm o eira. Roedd hi'n amhosibl gweld dim ac roedden nhw'n hedfan yn isel. Tra oedd o'n ceisio darganfod lle roedden nhw ar y map fe fu gwrthdrawiad erchyll. Ar ôl hynny, dim. Trwy drugaredd, roedd awyren arall o'r gwersyll yn eu dilyn nhw ac roedd honno wedi gallu rhoi cyfarwyddiadau i'r criw achub. Pan ddaeth cymorth y bore wedyn fe gafwyd fod pedwar o'i gyfeillion wedi eu lladd a'i fod yntau wedi cael ergyd i'w ben, wedi colli llawer o waed ac wedi torri ei goes mewn sawl man.

'Wrth gwrs, ar ôl hyn mi gefais fy rhoi mewn ysbyty,' meddai Hefin, 'ac fe ddywedodd yr M.O. wrtha i na fuaswn i ddim yn ffit i deithio adref am o leiaf chwe mis.' Dyna pam yr anfonais i'r hen lythyrau gwirion yna i chi yn dweud fy mod wedi newid gwersyll a chael swydd newydd ac ati. Doedd 'na ddim diben i chi wybod am y ddamwain. Doedd 'na ddim allech chi'i wneud.'

'Wyt ti'n cofio pryd y digwyddodd y ddamwain?' gofynnodd ei dad.

Cyn iddo gael cyfle i ateb roedd ei fam wedi ateb yn ei le,

'Fe ddigwyddodd am un o'r gloch y bore, dydd Iau, 17 o Dachwedd.'

Esboniad syml fyddai dweud mai enghraifft berffaith o *Telepathy* oedd hyn; un meddwl yn galw ar feddwl arall. Swyddog ifanc, yr unig un yn fyw mewn awyren ar ôl damwain erchyll ym mhen draw'r byd. Y creadur bach, yn ei ofn a'i unigrwydd, yn gweiddi am ei fam ac yn gallu anfon llun perffaith o'i sefyllfa iddi yn ei gwely ym Mangor. Ond na, dydi'r esboniad yna ddim digon da. Doedd Hefin ddim wedi gweld yr awyren yn plymio i'r mynydd, ond roedd ei fam wedi gweld y cyfan. Allai Hefin ddim bod wedi darlunio cyrff ei ffrindiau marw iddi; roedd o'n anymwybodol. Clywed wedyn am eu marwolaeth wnaeth o, ond roedd ei fam wedi'u gweld bob un, ac wedi'i weld yntau a'i ben yn gwaedu a'i goes druan wedi'i thorri. A'r mymryn mwg yna o dan aden dde'r awyren — doedd Hefin yn gwybod dim am hwnnw. Doedd hyd yn oed yr achubwyr fore drannoeth yn gwybod dim am y mwg. Dim ond Elisabeth Pritchard, yng Nghymru, a wyddai am y mwg!

Na, nid Hefin oedd wedi dweud wrthi am y ddamwain. Roedd o wedi galw arni ac roedd hithau wedi ei glywed o. Ar ôl ei glywed roedd hi wedi gadael ei chorff yn y gwely ym Mangor ac wedi mynd yr holl ffordd i Alaska a gweld y gyflafan. Yna wedi dod yn ôl i'w chorff ac wedi deffro William i ddweud wrtho yn union beth oedd hi newydd ei weld, ac i yfed y baned te roedd o wedi'i wneud iddi.

Ysbryd y Fynwent

Tra oeddwn i'n brasgamu o fan i fan yn ceisio datrys problemau ysbryd pobol eraill, wnes i ddim meddwl am funud fod gen i broblem i'w datrys ar fy nghowt fy hun. Fe fu raid i eraill dynnu fy sylw at y ffaith fod yna ysbryd yn Llandegai, a'i fod wedi cael ei weld ym mynwent Eglwys y Plwy.

Mae hen eglwys Sant Tegai, Llandegai yn dyddio'n ôl i'r bedwaredd ganrif ar ddeg. Hi oedd y drydedd eglwys i'w hadeiladu er gogoniant Duw yn y plwy bach yma o lai na dau gant o eneidiau. Codwyd eglwys fach bren tua'r flwyddyn 555 gan ein nawddsant Tegai, ac fe gafwyd cipolwg ar ei seiliau cyn i ffatri fawr Hi-Speed Plastics gael ei chodi drostyn nhw. Erbyn heddiw mae Castell Penrhyn, a adeiladwyd yn y ganrif ddiwetha, yn gwarchod y fynwent a'r pentref bach a'i bobol.

Bore dydd Mawrth oedd hi pan ddaeth y postmon ag amlen drwchus i'r ficerdy. Dyma'i hagor a chael y tu fewn iddi 19 o lythyrau gan ddisgyblion Ysgol Glancegin, Maesgeirchen, sydd yn gymdogion drws nesaf i ni yn Llandegai.

Pan mae rhywun yn cael S.O.S. gan 19 o bobol yr un diwrnod, mae'n rhaid gweithredu, a dyna wnes i. Ar fy ffordd i'r swyddfa yn y bore, dyma alw i weld prifathro'r ysgol ac ar ôl dweud fy neges fe gefais fy hebrwng i ddosbarth III i gyfarfod yr athro, Mr Robert Wyn.

Mai 5 1989 Ysgol Glancegin

Annwyl ficar.

Rydym ni yn ein hysgol ni wedi bod yn astudio hanes walter Speed a oedd yn ~~ben~~ Garddwr yng Nghastell Penrhyn ers talwm.

Mi roedd gan Mr Speed 14 o blant. Bu farw un hogan bach iddo o'r enw Rosa pan oedd hi ddim ond unarddeg oed, ac rydym ni wedi bod yn gweld ei bedd hi yn Eglwys Llandegai,

Y diwrnod o'r blaen mi ddaru ni ffeindio fod na rhywyn o'r enw David White wedi sgwenu yn llyfr yr ymwelwyr i ddweud fod o yn dwad i weld Rosa Speed. Ond mae Rosa Speed wedi marw ers dros can mlynedd felly Sut Mae

O yn madru ei gweld hi?
Rydym ni yn meddwl mai tramp ydi David White er fod ganddo fo bgwenu da.
plis fedrwch chi roi help i ni efo'r dirgelwch yma.

Yn Ddiffuant
Dawn Murray
oed (9)

Heb oedi, dyma Mr Wyn yn rhoi'r person plwy yn y pictiwr o flaen y dosbarth i gyd. Y fo oedd wedi awgrymu i'r dosbarth dro yn ôl y byddai'n beth da cychwyn prosiect hanesyddol fyddai'n mynd â nhw allan ambell bnawn ac roedd pawb wedi cytuno. Adeilad cynllun agored ydi ysgol Glancegin ac yn fuan iawn fe ddois i'r casgliad ei bod hi'n ysgol ddemocrataidd hefyd. Roedd Mr Wyn wedi gofyn,

'Prosiect ar beth?' ac roedd y plant, sydd â'u cae chwarae yn edrych i lawr ar Barc Penrhyn a thyrau'r castell, wedi dweud mai rhywbeth hanesyddol am Gastell Penrhyn ddylai'r prosiect fod. Roedden nhw am astudio bywyd y dyn oedd wedi creu'r parc a gerddi'r castell, ac yn y man fe ddechreuwyd prosiect ar fywyd a gwaith Walter Speed a'i deulu toreithiog.

Ganol y ganrif ddiwethaf roedd yr Arglwydd Penrhyn yn gwerthu llechi i doi cartrefi ym mhob rhan o'r byd, ac mae'n debyg ei fod yn un o ddynion cyfoethocaf y wlad, yn byw mewn castell a adeiladodd iddo'i hun ym mhlwy Llandegai. Pan hysbysebodd am ben-garddwr i gynllunio parc a gerddi'r Penrhyn yn 1863, gŵr ifanc wyth ar hugain oed o Iwerddon gafodd y swydd ac fe fu ynddi hyd ei farwolaeth yn 86 oed yn y flwyddyn 1921. Ei enw oedd Walter Speed.

Yn ystod gofalaeth Walter Speed fe ddaeth gardd y Penrhyn yn un o'r tair gardd breifat harddaf yng ngwledydd Prydain. Y ddwy arall oedd gardd yr Iarll Devonshire a gardd Duc Westminster. Fe ddôi dynion o bob rhan o'r wlad i ddysgu'r grefft o arddio dan gyfarwyddyd yr arbenigwr ifanc o Iwerddon. Byw efo'i gilydd yn y *Bothy* roedd y prentisiaid, a bywyd caled oedd o hefyd dan lygad barcud y pen-garddwr. Ond fe gafodd nifer fawr o brentisiaid Mr Speed — y rhai fedrodd ddygymod â'r ddisgyblaeth lem yma — eu cyflogi fel pen-garddwyr yn rhai o erddi mwyaf enwog y wlad, a llawer ohonyn nhw mewn gerddi brenhinol.

Fel roedd Mr Wyn yn dweud yr hanes wrtha i roedd llygaid y plant yn gloywi. Roedden nhw fel pe'n dweud, 'Fe gewch chi gadw'ch Ian Rush, a'ch Boris Becker a'ch Paul Newman. Rhowch i ni Walter Speed bob tro!'

Fe adroddwyd wrtha i wedyn fel roedd Walter Speed wedi priodi Charlotte ac fel y cawson nhw bedwar ar ddeg o blant. Roedd y dosbarth wedi cynllunio coeden deulu i ddangos eu hanes i gyd a'r plant yn gallu adrodd canghennau'r teulu yn gynt bron nag adrodd Tabl 2. I ddosbarth III roedd yr hanes fel rhyw lyfr mawr agored a phawb yn ymfalchïo yn y fedal aur V.M.H. a gafodd Walter Speed gan y Frenhines Fictoria fel un o arddwyr gorau'r wlad.

Roedd y prosiect yn mynd yn dda meddai Mr Wyn, a'r wythnos cyn anfon y llythyrau i mi, roedd y dosbarth i gyd wedi bod yn yr eglwys yn edrych ar yr hen gofrestrau. Fe welson nhw gofnod o briodas a marwolaeth Mr a Mrs Speed a bedyddiadau'r pedwar plentyn ar ddeg. Fel yr oedden nhw'n astudio'r cofrestrau dyma floedd o gefn yr eglwys.

'Mr Wyn, Mr Wyn, drychwch be' ydw i wedi'i gael!'

Simon McElligot, un o'r dosbarth, wrth ryw fras edrych ar Lyfr yr Ymwelwyr yng nghefn yr eglwys, oedd wedi sylwi ar un cofnod a oedd, iddo ef, yn eithriadol o ryfedd.

Yn y llyfr am fis Awst 1987 roedd yr enw, David White, ac yn y golofn 'cyfeiriad' roedd y gair 'trafeiliwr', ond ar ôl syllu ar y golofn sylwadau, fe fu bron i lygaid Simon McElligot syrthio o'i ben oherwydd roedd y dyn yma, pwy bynnag oedd o, wedi sgrifennu yn Saesneg, 'Yma unwaith eto i gyfarfod Rosa Speed fach.'

Wedi chwilio drwy'r tudalennau eraill fe welwyd fod David White yn ymweld â Rosa yn weddol reolaidd. Ond y dirgelwch mawr oedd fod y Rosa Speed y gwydden nhw amdani wedi marw yn un ar ddeg oed ar Fedi 3, 1878 ac wedi'i chladdu dan yr hen ywen fawr lle roedden nhw wedi bod yn ymgynnull lawer tro.

Dyma Mr Wyn yn gofyn i mi yn blwmp ac yn blaen, 'Beth ydi'ch esboniad chi am beth fel hyn, fod yna

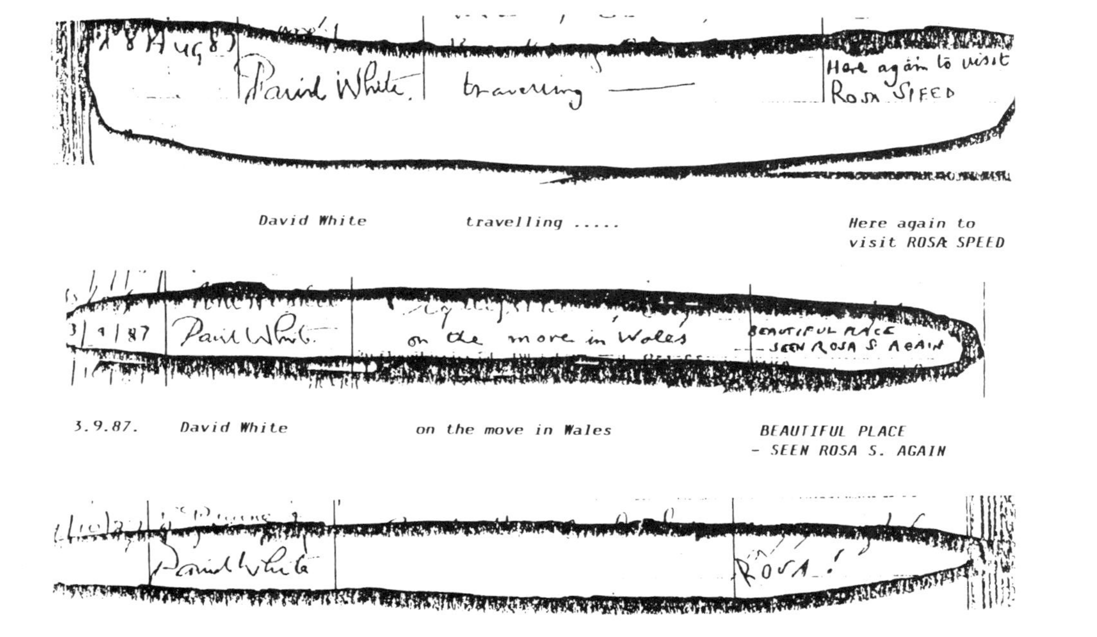

Allan o Lyfr Ymwelwyr Eglwys y Plwyf Llandegai.

ddyn yn dweud 'i fod o'n mynd i'ch mynwent chi ac yno'n gallu cyfarfod â merch fach sydd wedi'i chladdu ers cant a naw o flynyddoedd?'

Fel roedd 'Syr' yn gofyn y cwestiwn roeddwn i'n gallu teimlo llygaid dosbarth III yn serennu arna i fel pe'n ceisio sugno'r ateb ohonof.

Roedd yn rhaid imi ddweud wrthyn nhw nad oedd gen i ddim unrhyw fath o esboniad am y cyfeillgarwch rhyfedd yma. Fe ddywedais fy mod i'n gwybod am Mr Speed ac mai fi oedd wedi claddu dwy o'i ferched, Flora a Daisy, a'i fab Charles, a 'mod i'n ffrindiau mawr â wyres iddo fo, a hithau bellach dros ei naw deg oed. Erbyn hyn roedd Dosbarth III yn edrych arna i fel pe bawn i'n perthyn i lu'r 'proffwydi a'r merthyron'. Ond er hyn i gyd, allwn i daflu dim math o oleuni ar eu dirgelwch.

I wneud pethau'n fwy cymhleth, fe ddywedodd un o'r plant wrtha i fod ei thad wedi sôn am y trafeiliwr rhyfedd yma wrth hen frodor o Landegai, a bod hwnnw wedi dweud,

'Rhyfedd i chi ddweud hynna, oherwydd roeddwn i'r tu allan i'r eglwys dro yn ôl pan welais i dramp yn mynd i mewn a dyma fi'n ei ddilyn o i weld oedd popeth yn iawn a dyna lle'r oedd o, y creadur, yn gweddïo wrth yr allor.'

Wrth fynd allan roedd y tramp wedi sgrifennu ar y gofrestr ac roedd yr hen ŵr bron yn berffaith siŵr mai 'David White' oedd yr enw a sgrifennodd o.

Roedd dosbarth III yn benderfynol o gael eglurhad ar y dirgelwch. Fe wnes rywbeth a wnes i droeon o'r blaen sef gwerthu'r stori i gwmni teledu. Mae gan y rhain ymchwilwyr proffesiynol trylwyr iawn ac fe dreuliwyd bore yn ffilmio yn yr ysgol ac fe gefais innau fy ngwadd i ymuno â'r plant yn yr eglwys a'r fynwent yn y pnawn.

Roedd pethau'n mynd yn gampus. Allwn i ddim dweud pwy oedd yn mwynhau fwyaf, 'Syr' ynteu Dosbarth III. Roedden nhw ar fin cerdded fesul dau y tu ôl i'r athro i mewn i'r eglwys pan ddigwyddodd rhywbeth i gamera 1 oedd yn disgwyl amdanyn nhw yn y porth. Wrth oedi'n hir yn yr oerni fe welais fod y plant yn dechrau diflasu ac er mwyn cadw eu diddordeb tra oedd y camera'n cael ei drwsio fe ofynnais iddyn nhw,

'Fasech chi'n licio gwybod pwy ydi David White?'

'O, ie plîs, syr, plîs syr,' oedd yr ymateb.

'Wel,' meddwn i, 'y fi ydi David White. Ar ôl clywed eich bod chi'n dod i'r eglwys, fe wisgais hen ddillad tramp a dod i'r eglwys i sgrifennu yn y llyfr.'

Roeddwn i'n disgwyl iddyn nhw chwerthin yn braf am hyn ond na, edrych arna i yn hurt wnaeth Dosbarth III a dyma Mr Wyn yn dweud,

'Dydi hynna ddim mor ffôl ag a feddyliech chi. Rydyn ni wedi gofyn y cwestiwn i'n gilydd gymaint o weithiau, a'r tro diwethaf dyma Richard yn awgrymu efallai mai'r ficar oedd yn chwarae tric arnon ni.'

Roedd cynhyrchydd y ffilm wedi penderfynu mai da o beth fuasai i mi, ar ddiwedd y rhaglen roi esboniad ymarferol o'r holl ddirgelwch. Pan ddywedais i nad oedd gen i mo'r syniad lleiaf beth oedd tu ôl i'r stori, rydw i'n credu ei fod o braidd yn siomedig. Roedd o wedi awgrymu mai fi, wedi'r cwbwl, oedd 'dyn ysbryd' yr ardal, ac y dylai fod gen i eglurhad i'w gynnig. Fe ddywedais wrtho nad oedd y stori'n achosi cymaint o benbleth i mi ag oedd hi i'r disgyblion a Mr Wyn gan fod gen i amryw o gyfeillion oedd yn sgwrsio'n rheolaidd efo ffrindiau oedd wedi ymadael â'r fuchedd hon ers sawl blwyddyn. Roeddwn i'n berffaith sicr fod David White, pwy bynnag oedd o, yn seicic a'i fod o rywsut neu'i gilydd wedi medru cysylltu â Rosa a'i fod o, wrth ymweld â'r ardal, yn galw yn y fynwent i ddweud 'Helô' wrth Rosa fach.

O.N. Os digwydd i un o ddarllenwyr y stori hon ymweld ag Eglwys Llandegai, fe wêl bwt bach o lythyr wedi'i osod yn ymyl y Llyfr Ymwelwyr:

Annwyl David White,

Pan ddowch chi nesa i weld Rosa Speed, rydan ni am ichi wybod fod rhai eraill ohonon ni hefyd yn caru Rosa. Rhowch neges fach ar y llyfr i Ddosbarth III Ysgol Glancegin.

Aelwyn Roberts

Ficer

Awst a Hydref ydi'i fisoedd ymweld. Fe gadwn ni'n llygaid yn agored amdano.

Ysbryd y Fam Ddibriod

Fe ddaeth gwraig ganol oed i'm gweld i'r Ficerdy un noson. Roedd hi'n byw mewn pentref cyfagos ac roedd arni angen cymorth gan ei bod hi a'i gŵr yn cael eu poeni gan ysbryd.

Doedd yr un o'r ddau wedi gweld dim; doedden nhw chwaith ddim wedi clywed sŵn drysau'n cau na chadwyni haearn yn cael eu llusgo o stafell i stafell, ond roedden nhw'n sicr fod rhywun neu rywbeth yn rhannu'r tŷ efo nhw; rhywun oedd mewn pryder a phoen meddwl mawr. Roedd eu tŷ, yn ystod y blynyddoedd diwethaf, wedi mynd yn dŷ oer a diflas ac roedd ynddo fo awyrgylch anhapus iawn. Roedd y plant wedi tyfu i fyny ac wedi priodi a bellach doedd ond y ddau ohonyn nhw yn y cartref.

'Pan fyddwn ni'n dau yn mynd allan i weld ffrindiau, neu i gyngerdd neu i'r sinema, rydan ni'n berffaith hapus,' meddai'r wraig, 'ond o'r funud y down ni'n ôl a throi'r goriad yn y clo mae'r ysgafnder yn cilio a rhyw deimlad o iselder yn dod droson ni.'

Pan alwodd y wraig i ddweud ei chŵyn, roeddwn i'n mynd trwy gyfnod pan oedd nifer fawr o alwadau amdana i ac roeddwn i wedi cael llond bol ar ysbrydion, ac ar sôn am ysbrydion. Wedi'r cwbwl, meddwn wrthyf fy hun, mae pob nyth yn mynd yn oer wedi i'r cywion hedfan, a'r tebygolrwydd oedd fod y cwpwl bach yma'n teimlo colled ar ôl eu plant fel llawer cwpwl o'u blaenau ac fel y byddai raid i'm gwraig a minnau wneud un diwrnod ar ôl i'r olaf o'n chwe phlentyn adael cartref.

Fe ofynnais iddi a oedd rhyw ran arbennig o'r tŷ yn teimlo'n oerach a mwy digroeso na'r gweddill.

'Er nad ydi fy ngŵr na minnau wedi gweld na chlywed dim byd neilltuol,' meddai hi, 'mi faswn i'n dweud fod beth bynnag sydd yn y tŷ wedi gwneud ei gartref yn ein llofft ni, sydd ar ben y grisiau gyferbyn â'r landing. Mae'r darn yma o'r tŷ bob amser yn iasoer, ac mae gen i hefyd deimlad fod y peth yma, beth bynnag ydi o, yn cwrcwd i lawr tu ôl i ddrws llofft y gŵr a minnau.'

Er mawr gywilydd iddo, y cyfan wnaeth yr heliwr ysbryd diog oedd rhoi cyngor i'r wraig o'i gadair esmwyth wrth y tân,

'Ewch adref a hoeliwch groes neu grocbren yn eich llofft, yn y gornel lle rydach chi'n meddwl y mae'r ysbryd yn byw, a dywedwch bader fel y byddwch chi'n cyrraedd pen y grisiau.'

Y noson honno fe ddysgais un o ddilynwyr Thomas Charles o'r Bala sut i wneud arwydd y groes cystal ag unrhyw Babydd.

Ymhen y mis roedd y wraig druan yn ôl, y tro yma yn ymbilio a chrefu am help. Roedd pethau'n waeth. Erbyn hyn feiddiai ei gŵr na hithau ddim mynd i fyny'r grisiau ar ôl iddi nosi. Roedden nhw wedi dod â'r gwely i lawr ac wedi ildio'r llawr cyntaf yn gyfan gwbwl i'r ysbryd ac roedd melancolia yn dechrau llenwi'r tŷ.

Dyma drefnu rŵan i fynd yno efo Elwyn y nos Iau ddilynol.

Yn ystod yr wythnos fe ddigwyddodd rhywbeth digon rhyfedd. Roedd fy merch, Bridget, newydd raddio mewn seicoleg y flwyddyn honno ac fe ofynnodd a gâi hi ddod efo ni i'r tŷ. Dyma ffonio Elwyn i ofyn ei ganiatâd a'i ateb oedd,

'Mae fy merch innau wedi graddio mewn seicoleg ac mae hithau newydd ffonio i ofyn a gaiff hi ddod. Roeddwn innau ar fin gofyn eich caniatâd chi.'

Roedden ni'n barti o bedwar, felly, yn troedio at y tŷ am saith o'r gloch y noson honno. Cyn gynted ag yr aethon ni trwy'r drws fe gafodd Elwyn arwydd, neu beth bynnag mae'r bobl ddawnus yma yn ei alw, ac i ffwrdd â fo i'r stafell wely ar ben y grisiau, wedyn allan yn ei ôl a sefyll fel pe'n gwrando.

'Ar ben y grisiau yn y fan yma ydi'r lle gorau i ni heno,' meddai a dyma ni i gyd yn gwneud ein hunain mor gyfforddus ag y gallen ni. Wedi i ni setlo i lawr dyma Mrs Parry, gwraig y tŷ, yn dweud,

'Roedd y ficar yma bore 'ma ac mi ddwedais wrtho fo am yr ysbryd a bod Mr Elwyn Roberts a ficar Llandegai yn dod yma heno i geisio'i dawelu, a dyma'r ficar yn gofyn a gâi o fynd o amgylch y tŷ. Mi aeth i bob stafell i lawr y grisiau ac wedyn i fyny i'r llofftydd. Mi arhosodd am dipyn go lew yn y llofft ffrynt ac yna dod allan a sefyll fan hyn ar ben y grisiau ac yn rhyfedd iawn dyma fo'n dweud, "Wel, Mrs Parry, taswn i'n gamblwr mi faswn i'n fodlon betio hanner coron mai ar ben y grisiau yn fa'ma y byddwch chi i gyd yn cadw seiat heno. Dyma lle mae'r ysbryd i chi." '

Fe wyddwn wedyn enw pwy i'w roi i'r esgob yn

olynydd i mi fel heliwr ysbrydion pan fyddwn i'n ymddeol!

Wel dyna lle'r oedden ni'n eistedd blith-draphlith ar ben y grisiau, yn ddistaw fel Crynwyr, yn cadw gwylnos ac yn disgwyl am ysbryd.

Roedd Elwyn a minnau wedi treulio oriau maith efo'n gilydd fel hyn yn disgwyl i ysbryd neu ddau godi'r glicied arnon ni o dro i dro. Rhyw gyfeillgarwch rhyfedd oedd o — bob amser yn cyfarfod yn y nos, a hynny bob amser yn nhŷ rhywun arall a chwpwl o ysbrydion yn hofran uwch ein pennau ni neu'n ymddwyn fel plant trwy wneud pob math o driciau er mwyn tynnu'n sylw ni.

Roedd yna gyfnodau pan nad oedd dim yn digwydd, a bryd hynny, fe fyddai'r ddau ohonon ni'n cael cyfle i sgwrsio am bob math o bethau. Mae gan Elwyn wybodaeth eang ac rydw i'n ei ystyried yn arbenigwr ym myd y paranormal. Roeddwn i'n meddwl ein bod ni wedi dod i adnabod ein gilydd yn bur dda, ond pa mor dda ydi da?

Yn ystod haf 1975 fe gefais brofiad anhygoel efo Elwyn, profiad a'm gadawodd i'n rhythu'n geg-agored am funudau.

Wythnos gyntaf mis Awst oedd hi, yr wythnos honno pan fo pob Cymro da yn mynd ar bererindod i faes yr Eisteddfod Genedlaethol. Os na lwydda pererin i gyrraedd Rhufain rhaid iddo fodloni ar ddau ymweliad â Thyddewi, sef rhuthro adref o ble bynnag y bo erbyn dau o'r gloch ar ddydd Mawrth y Coroni a dydd Iau'r Cadeirio ac eistedd mewn cadair gyfforddus mewn da bryd i weld y seremonïau ar y teledu. Fel y gŵyr pob

Cymro, yn ôl eu ffugenwau yr adnabyddir yr ymgeiswyr gan y beirniaid a mawr yw'r dyfalu ar y maes ac yn y cartrefi pwy fydd y bardd eleni. Tybed ai un o'r de ynteu'r gogledd fydd o; ai gweinidog yr efengyl ynteu athro ysgol; tybed ydw i'n ei adnabod o neu hi?

Y prynhawn Mawrth yma roedd beirniadaeth cystadleuaeth y goron yn tynnu at ei therfyn,

'Mae fy nghyd-feirniaid a minnau yn unol o'r farn mai gwir enillydd y goron am 1975 yw Gwion.'

Yr archdderwydd wedyn yn cymryd ei le ar ganol y llwyfan ac yn gofyn am dawelwch, ac yn ei gael,

'Wnaiff pawb eistedd i lawr os gwelwch yn dda a gofynnwn am un yn unig i godi ar ei draed, sef Gwion. Safed Gwion ar ei draed.'

Mae popeth yn barod rŵan, yr utgyrn, y plant bach gyda'u dawns flodau i'r prifardd a'r beirdd wedi ymgynnull i'w dywys i'r llwyfan. Dyma'r foment fawr, y camerâu teledu yn chwilota dros bennau'r dyrfa fawr, a dacw gynnwrf ym mhen draw'r pafiliwn a'r camerâu a'r goleuadau i gyd yn anelu at un gŵr unig yn sefyll ynghanol y miloedd sy'n eistedd yn ufudd. Unrhyw funud rŵan, bydd sylwebydd y teledu yn ei adnabod a bydd yn cael ei arwain i'r llwyfan er mwyn cyhoeddi ei enw i'r miloedd yn y pafiliwn a thrwy Gymru gyfan. Ond cyn i neb gael dweud gair dyma'i wyneb, wyneb y prifardd newydd, yn llenwi'r sgrîn.

'Elwyn!' meddwn i. 'Elwyn Roberts! Fy Elwyn i!' Am weddill y rhaglen allwn i ddweud na gwneud dim ond syllu a mwynhau ei weld yn cael ei goroni yn Brifardd Cymru am 1975.

Ar wahân i'w glywed yn dweud ei fod yn hoffi darllen

barddoniaeth pan oedd o'n blentyn, doedd gen i ddim syniad ei fod o'n fardd o ddifri. A dyma fo bellach, yn cael ei arwain i'r llwyfan a'r utgyrn yn atsain a miloedd o bobol ar eu traed yn curo dwylo i glodfori'r prifardd newydd.

A dyma fo rŵan, yn eistedd ar ei sodlau gyferbyn â mi ar ben grisiau y tu allan i lofft ffrynt y tŷ yma yn disgwyl cyfarfod ysbryd. Doedd o ddim byd tebyg i brifardd cenedlaethol. Yn sydyn, dyma fo'n torri ar y distawrwydd,

'Mae hi'n dŵad,' meddai, 'ond yn ara' bach. Mae hi'n swil a dydi hi ddim yn siŵr pwy sydd yn y cwmni.'

Unwaith eto, fe ddaeth yn bryd imi siarad efo awyr iach! Mae'n beth rhyfedd ond dydw i ddim wedi medru dygymod â'r syniad o siarad efo rhywun na fedra i mo'i weld na'i glywed. Fe fydda i'n teimlo dipyn yn embaras, chwedl Ifas y Tryc, wrth gynnal sgwrs unochrog, ac roedd hynny'n arbennig o wir y noson honno gan fod dwy seicolegwraig efo ni.

'Dowch yn nes 'nghariad i,' meddwn i. 'Rydan ni i gyd isio'ch helpu chi.'

'Mae hi isio dweud wrthon ni na ddaru hi ddim lladd ei babi bach,' meddai Elwyn.

Ac fel yna yr aeth pethau, hi yn siarad ac Elwyn yn gwrando ac yn ailadrodd i ninnau.

Mae gen i gopi o lythyr a anfonais drennydd at ficar y plwy, wedi ei ddyddio Awst 20, 1983:

Annwyl Reithor,

Roeddech yn llygad eich lle. Roedd y cynyrfiadau ar ben y grisiau dipyn cryfach na'r rhai yn y llofft ac yma y bu inni dreulio'r amser neithiwr. Marciau llawn ichi.

Y neges a ddaeth drosodd i ni oedd mai merch ddibriod oedd yr ysbryd — athrawes o'r enw Margaret Ellis. Fe gawsom hefyd y dyddiad, 1836, a'r ffigwr 73. Fe gawsom enw arall, Ernest Johnson, a disgrifiad o dŷ mawr gwyn roedd o'n gysylltiedig ag o, ac roedd gan y tŷ ryw gysylltiad â chloddio, ond nid cloddio llechi fel byddai rhywun yn ei ddisgwyl yn ardal Bethesda, ond cloddio copr. Cysylltiad hefyd â Dwygyfylchi.

Ymddengys fod Margaret wedi rhoi genedigaeth i blentyn bach o'r enw John, a hithau yn ddibriod. Am ei bod yn athrawes ac o deulu parchus roedd hyn yn warth. Ymddengys fod tad y babi, y gŵr yma oedd yn gysylltiedig â'r tŷ gwyn ac â chloddio copr, wedi cyflogi dau ddihiryn i ladd y baban.

Yn y sgarmes rhwng y fam a hwythau roedd y babi wedi disgyn i lawr y grisiau i'w farwolaeth. Roedd yna awgrym fod y dynion wedi lluchio'r plentyn i lawr y grisiau yn fwriadol.

Fe wrthododd pobol yr ardal dderbyn y stori am y ddau ddihiryn yn dod gefn nos i ladd y babi gan ddweud mai Margaret ei hun oedd wedi'i ladd. Fe baciodd ei bagiau a mynd i Fanceinion i fyw ac yno y bu hi nes iddi ddod yn ei hôl i farw a chael ei chladdu yn ei chynefin.

Rydym yn berffaith hapus yn ein meddyliau mai dyma oedd y wybodaeth a ddaeth drosodd i ni neithiwr. Tybed oes rhywbeth yng nghofrestrau'r eglwys i brofi neu wrthbrofi hyn?

1836. Ai dyma ddyddiad geni Margaret, neu ddyddiad y trasiedi? Y trasiedi, mwyaf tebyg. Oes gynnoch chi gofnod o fedydd un Margaret Ellis tua

1800 ac o'i chladdu tua 1873? Oes rhyw sôn am Ernest Johnson, perchennog mwynglawdd copr? Er, efallai mai yng nghofrestrau Dwygyfylchi y dylid edrych am wreiddiau hwnnw.

Ym mha ysgol tybed roedd Margaret yn athrawes? Beth am Bont Tŵr? Roedd hi hefyd yn gerddorol ac efallai mai dysgu cerddoriaeth yn breifat roedd hi.

Yn ddiffuant

Aelwyn.

A dyma'r ateb prydlon ddaeth i law:

Annwyl Aelwyn,

Diolch am eich llythyr Awst 20 am yr ysbryd yn . . . .

Rydw i wedi edrych ar y cofrestrau plwyf a chael fod Margaret Ellis wedi ei chladdu ym mynwent yr eglwys blwyf ar Fawrth 27, 1873 yn 76 mlwydd oed.

Fe edrychais wedyn am ddydd ei bedydd a chael fod yna Margaret, merch Owen a Catherine Ellis, wedi ei bedyddio ar Fai 30, 1802. Os yr un Margaret Ellis oedd hon ag a gladdwyd yn 1873 yna rhaid ei bod yn bump oed yn cael ei bedyddio. Deallaf oddi wrth y plwyfolion fod hanes am dŷ mawr gwyn a hefyd gysylltiad â mwyngloddio copr.

Ni allaf ddarganfod unrhyw sôn am ŵr o'r enw Ernest Johnson nac unrhyw groniclad o fedyddio nac o gladdu plentyn o'r enw John, ond hawdd y gallai'r trasiedi fod wedi digwydd yn 1836 fel yr awgrymwch.

Gelwais i weld Mr a Mrs Parry y bore 'ma a chefais yr hanes ganddynt fel y cyfeiriodd Margaret yn neilltuol at eglwys to fflat — un heb dŵr na phinacl. Does dim amheuaeth mai cyfeiriad oedd hyn at yr hen eglwys, oherwydd nid adeiladwyd yr eglwys bresennol tan 1842, chwe blynedd ar ôl y trasiedi ac ar ôl i Margaret ymfudo i Fanceinion.

Cefais fy ngwadd i fyny'r grisiau yn y tŷ i edrych a allwn weld gwahaniaeth yn yr awyrgylch. Roedd y naws oer, drymaidd wedi diflannu ac roedd y tŷ bellach i'w deimlo'n hollol iach a hapus, a theimlwn fod Margaret Ellis druan wedi cael heddwch o'r diwedd.

Yn ddiffuant.

O.N. Nid wyf wedi cael unrhyw wybodaeth am yrfa Margaret, ond os dof ar draws unrhyw beth, fe anfonaf atoch.

Fe sicrhawyd Margaret y noson honno ar ben y grisiau ein bod yn ei choelio ac nad oedd hi'n euog o ladd ei phlentyn bach. Fe ddywedodd pob un ohonon ni yn ei dro, Mr Parry, Mrs Parry, Elwyn, y merched a minnau,

'Margaret, rydw i'n coelio beth wyt ti'n ddweud.' Ac wrth iddi adael y tŷ, roedd gwên fodlon braf ar ei hwyneb, meddai Elwyn.

Rydw i'n sicr mai Margaret oedd yr ysbryd bach mwyaf agos atoch chi y bûm i erioed yn ymdrin ag o. Fe wnaeth y profiad argraff fawr ar y ddwy ferch ifanc oedd efo ni. Mae'n debyg mai dyma'r unig brofiad o siarad efo ysbryd iddyn nhw ei gael erioed. O leiaf, chlywais i mo Bridget yn sôn am un arall.

Sut bynnag, fe symudodd Elwyn a minnau ymlaen yn fuan iawn at ysbryd arall. Os oedd Margaret yn swnio'n annwyl a gwylaidd, roedd yr un ddaeth ar ei hôl yn llawn asbri a direidi.

Yr Ysbryd Direidus

Doedd y llanc ifanc ofynnodd am gael dod i'm gweld am fod ganddo ysbryd yn ei dŷ ddim yn edrych ddiwrnod yn hŷn na deunaw oed. Fel rheol mae pobol sy'n cael eu poeni gan ysbrydion yn tynnu 'mlaen mewn oedran ond roedd y llanc yma'n edrych yn ifanc iawn i fod yn pryderu am y ffasiwn beth. Wedi sgwrsio ychydig fe gefais ar ddeall ei fod mewn gwirionedd yn chwech ar hugain oed. Peter oedd ei enw ac fe ddywedodd ei fod yn gweithio i gwmni yswiriant ym Mangor ac mai Zoe oedd enw ei wraig.

Roedden nhw wedi medru rhentu hen ffermdy ym Mrynsiencyn, Ynys Môn, yn weddol rad gan ffrind oedd wedi mynd i'r Unol Daleithiau am flwyddyn.

Ar ôl symud i mewn ym mis Tachwedd fe fuon nhw'n hynod o hapus, gan gyfarfod ffrindiau newydd a chael swancio tipyn drwy gynnal partïon a discos yn eu cartref.

Y mis Hydref dilynol, ar ôl treulio bron i flwyddyn yn y tŷ, y dechreuodd pethau fynd yn flêr.

'Unwaith y bydda i wedi rhoi fy mhen ar y gobennydd,' meddai Peter, 'dyna fi tan y bore, ond mae Zoe yn cysgu'n ysgafn iawn. Un noson dyma hi'n fy neffro i ddweud fod 'na lygoden fawr yn crafu dan y gwely.' Wedi gwrando am beth amser, roedd Peter ar droi drosodd a mynd yn ôl i gysgu pan ddechreuodd y crafu unwaith eto. Os mai llygoden oedd yn gwneud y sŵn, yna, doedd o ddim yn awyddus i'w chyfarfod yn droednoeth. Dyma chwilota yn y tywyllwch am ei esgidiau a'u gwisgo'n ofalus. Yr un mor ddistaw fe ddaeth o'r gwely a mynd ar flaenau'i draed at y wardrob i gael gafael ar ei fat criced, yna cripian yn ôl at ochr y gwely. Tra oedd o'n gwneud hyn roedd y sŵn crafu fel pe'n codi i ryw gresendo mawr.

Roedd ar Zoe ofn anadlu bron yn y gwely,

'Zoe,' meddai Peter.

'Ia,' meddai llais bach gwan.

'Mae'r bat criced gen i. Pan dd'weda i 'Rŵan!' tynn di linyn y gola' wrth ben y gwely ac mi ro' inna swadan i beth bynnag sydd dan y gwely.'

Er y sibrwd roedd yr anghenfil dan y gwely yn dal i grafu a chrafu,

'Rŵan!' meddai Peter.

Fe dynnodd Zoe y llinyn, fe waldiodd Peter â'i holl egni ac fe beidiodd y crafu.

Fe gododd ddillad y gwely ac edrych oddi tano. Dim byd. Dim llygoden fawr, dim hyd yn oed bry copyn, nac unrhyw ôl crafu ar blanciau derw'r llawr.

Dyma gadw'r bat criced, rhoi'r esgidiau yn ôl yn eu lle a mynd yn ôl i'r gwely. Troi a throsi fu hanes y ddau am weddill y noson — rhyw hanner disgwyl i'r crafu ailddechrau, ond ddigwyddodd dim.

Drannoeth, yn ystod ei awr ginio, fe aeth Peter i brynu gwerth dwy bunt o wenwyn llygod mawr a'r noson honno dyma fo'n ei roi o amgylch y sgertin. Fe sylwodd fod un o styllod y llawr yn rhydd a dyma roi joch dda o wenwyn yn y fan honno hefyd.

Chlywyd dim crafu y noson honno ond bore trannoeth roedd y pentyrrau gwenwyn yn union fel y gadawyd nhw. Fodd bynnag, fe gafwyd pythefnos o dawelwch.

Roedd Zoe wedi mynd i feddwl fod y llygoden wedi cilio am fod yn gas ganddi aroglau'r gwenwyn, ond na, doedd yr aflwydd ddim wedi cilio. Ganol mis Tachwedd, flwyddyn union i'r diwrnod y daethon nhw i'r tŷ, fe ddechreuodd y crafu unwaith eto. Y tro yma ddaru Peter ddim codi, dim ond gwyro dros yr erchwyn yn sydyn ac anelu golau ei lamp dan y gwely. Doedd yna ddim i'w weld ond fe stopiodd y crafu. Cyn gynted ag roedd o'n ailgydio yn ei gwsg roedd y sŵn yn cychwyn eto ond yn peidio pan anelai Peter olau dan y gwely. Fe lwyddodd i berswadio Zoe mai llygoden fawr oedd wrthi a'i bod hi tu ôl i'r sgertin neu rhwng y llawr a'r distiau ond nid yn y stafell. Ambell noson fe fyddai'r sŵn i'w glywed; nosweithiau eraill, fe fyddai pob man yn ddistaw.

Y noson fythgofiadwy oedd Rhagfyr 20. Roedd Zoe wedi bod wrthi'n lapio anrhegion Nadolig y teulu a Peter yn gweithio ar gynllun pensiwn i gwsmer, a'r ddau braidd yn hwyr yn troi am y gwely. Roedd y blanced drydan wedi ffiwsio a'r gwely, o'r herwydd, yn iasoer. Fe gymerodd hydion iddyn nhw fynd i gysgu. Roedd Peter yn meddwl ei bod tua thri o'r gloch y bore pan ddeffrôdd o. Teimlo dillad y gwely'n cael eu tynnu i ffwrdd wnaeth o ac yntau'n fferru at yr asgwrn. Fe agorodd ei lygaid a dyna lle roedd wyneb gwraig ganol oed yn cilwenu arno. Am ychydig eiliadau fe syllai'r ddau ar ei gilydd ac yna, yn sydyn, cymerodd y wraig ddau gam yn ôl a sefyll wrth ddrws y llofft gan bwyntio'i bys fel pe'n cyhuddo Peter. Pan agorodd yntau ei geg i weiddi ddaeth dim sŵn o gwbwl o'i enau.

Fe ddeffrôdd Zoe yn sydyn a rhoi sgrech annaearol dros y tŷ. Fe neidiodd dros gorff diffrwyth Peter, allan trwy ddrws y llofft, trwy'r drws ffrynt ac i ffwrdd â hi fel milgi i fyny'r lôn drol tua'r fferm nesaf. Wrth weld Zoe yn rhedeg ac yn sgrechian fe ddaeth Peter ato'i hun ac ymhen eiliad roedd yntau'n carlamu ar ei hôl, fel pe bai'r cythraul ei hun wrth ei sodlau. Fe gymerwyd sawl paned o de cyn i'r cymdogion allu dod â'r pâr ifanc hanner noeth dros y sioc. Roedden nhw wedi rhedeg dros hanner milltir a hynny yn droednoeth ac yn eu dillad nos a hithau'n chwipio rhewi. Doedd yr un o'r ddau, medden nhw, yn mynd i groesi trothwy'r tŷ dychrynllyd yna byth eto rhag ofn cyfarfod y creadur erchyll oedd wedi codi'r ffasiwn ofn arnyn nhw.

Sut bynnag, fe fentrodd Peter ddychwelyd i'r tŷ ddau ddiwrnod yn ddiweddarach i nôl yr anrhegion Nadolig, ond roedd hynny yng ngolau dydd, a dim ond am ddeng munud, efo'i dad yn gwmpeini. Roedd y tŷ wedi bod yn wag byth er pan roddodd Peter glep ar y drws y diwrnod hwnnw. Yng nghartref rhieni Peter y treuliodd y pâr ifanc y Nadolig a'r Flwyddyn Newydd.

Ar Ionawr 3 fe ddaeth Peter i'm gweld ac adrodd yr hanes. Am nad oedd ganddo fo'r syniad lleiaf lle i fynd am gymorth. Roedd o wedi mynd yn gyntaf at hen sipsi oedd yn byw yn ymyl ac roedd honno wedi rhoi ei dwylo ar ei chlustiau a gwrthod gwrando ac wedi dweud wrtho am fynd at 'offeiriad Llandegai'.

Wedi gwrando arno'n dweud ei stori fe wyddwn ar

unwaith ei fod o ddifri. Fyddai neb yn rhedeg hanner milltir ar noson rewllyd yn ei grys nos am hwyl. Roedd rhywbeth wedi achosi hyn, felly dyma godi'r ffôn, cael gair efo Elwyn a threfnu i fynd i'r fferm i glywed y sŵn crafu droson ni'n hunain.

Y trefniant oedd i Elwyn fy nghodi i yn y Ficerdy am saith, codi Peter yn ei swyddfa (am fod ei gar yn y garej yn cael ei drwsio) ac yna'r tri ohonon ni i alw am Zoe yn fferm y cymdogion lle cawson nhw loches ar y noson arswydus cyn y Nadolig.

Roedd Peter yn eistedd yng nghefn y car ac fel roedden ni'n teithio o Fangor dyma fo'n dechrau dweud ei fod wedi cofio mwy o'r hanes ond fe dorrodd Elwyn ar ei draws y munud hwnnw,

'Peidiwch â dweud dim am beth ddigwyddodd ichi,' meddai. 'Wneith o ddim ond fy ffwndro i.'

Wrth aros am betrol mewn garej yn y Borth dyma Elwyn yn dweud,

'Mae gen i ryw ddarlun o'r ysbryd sy'n eich poeni chi. Rydw i'n 'i gweld hi fel gwraig fechan gyda gwallt syth byr, yn dechrau gwynnu. Mae ganddi wisg laes o wlanen, tebyg i ddefnydd planced, ac mae clocsiau am ei thraed. Mae ganddi wyneb bychan, bychan, gwlad-aidd yr olwg, a lliw'r awyr agored arno fo.'

'Rydach chi'n iawn, rydach chi'n iawn!' meddai Peter o'r cefn.

'Yn rhyfedd ddigon, mae 'na enw'n dod imi hefyd,' meddai Elwyn, 'Hannah Roberts, ond mi gawn wybod mwy pan awn ni i'r tŷ.'

Doedd neb wedi bod yn y tŷ ers cyn y Nadolig ac roedd y lle'n iasoer, ond ymhen dau funud roedd Zoe wedi berwi'r tegell a Peter yn mynd ati i gynnau tân. Dyma ni'n eistedd i yfed ein coffi a chymeradwyo'r taniwr ond bron cyn i ni gael ein gwynt aton dyma Elwyn yn dweud,

'Mae hi yma. Mae hi'n sefyll wrth ddrws y gegin yn pendroni ydi hi am ddod i mewn ai peidio.'

Wrth gwrs, doeddwn i'n gweld neb, ond roeddwn i'n cymryd gair Elwyn ac yn syllu'n obeithiol tua'r drws cefn.

'Siaradwch efo hi, Aelwyn,' meddai yntau.

'Dowch i mewn, dowch i mewn,' meddwn innau. 'Peidiwch ag ofni. Yn eich tŷ eich hun rydach chi, a ninnau yma i'ch helpu chi os gallwn ni.'

Ar hyn fe drodd ein hymwelydd ysbrydol ar sawdl ei chlocsiau a'i heglu hi o'r stafell cyn gynted ag y gallai.

'Rydw i'n credu ei bod hi braidd yn swil,' meddai Elwyn.

Mae Elwyn yn llygad ei le bron bob amser ond y tro yma doedd o ddim yn iawn o bell ffordd wrth feddwl fod yr ysbryd yma yn swil. Prin roedd o wedi dweud y gair 'swil' nad oedd hi yn ei hôl ac yn sefyll wrth ochr cadair Elwyn yn barod i mi ei holi.

Fe esboniais iddi y byddai'n rhaid inni, cyn y gallen ni ei chynorthwyo, ddod i wybod rhywbeth am ei bywyd ac am y cyfnod roedd hi'n byw ynddo. Mae Elwyn a minnau wedi sylweddoli ers blynyddoedd nad oes dim diben o gwbwl gofyn i ysbrydion roi dyddiadau. Does ganddyn nhw ddim syniad am ddyddiau, wythnosau na blynyddoedd na chwaith pa amser o'r dydd ydi hi.

Dyma ofyn i Hannah,

'Beth ydi enw'r person plwy sydd gynnoch chi rŵan?'

Rargian fawr, dyma ffrwydrad fu bron yn ddigon i luchio Elwyn o'i gadair.

'Parchedig Parry,' oedd yr ateb a boerwyd allan. 'Parchedig! Mwy o hen snob a hen gynffonnwr nag o Barchedig. Dyn y bobol fawr a theulu'r plas ydi o. Does ganddo fo ddim byd i'w ddweud wrth bobol y pentra.'

Cychwyn go wael, meddwn wrthyf fy hun. Dydi Hannah ddim yn aelod o'r eglwys esgobol. Fe aeth ymlaen ac ymlaen i ddilorni'r person plwy ac yna fe drodd i fyd gwleidyddiaeth. Ei harwr mawr oedd Lloyd George. Roedd ganddi feddwl y byd ohono; doedd 'na neb tebyg iddo. Roedd o'n haeddu clod am geisio datgysylltu'r Eglwys yng Nghymru a thrwy hynny orfodi'r hen snob, y Parchedig Parry, i gardota am ei fara.

Oddi wrth ei sgwrs roedd yn hawdd deall nad oedd Hannah yn aelod o'r eglwys wladol a'i bod yn Rhyddfrydwraig i'r carn, ond roedd yn rhaid cael rhagor o'i chefndir.

'Pwy,' meddwn i wedyn, 'sydd gynnoch chi yn weinidog yn y pentre 'ma rŵan?'

Unwaith eto dyma sylweddoli fy mod i wedi rhoi fy nwy droed ynddi.

'Gweinidog wir! Gwas yr Arglwydd mae o'n 'i alw'i hun. Gwas y Diafol ydi o! Pregethu ar y Sul ac anfon ein hogia bach ni i'r *trenches* yn Ffrainc weddill yr wythnos.'

Fe wyddai Elwyn a minnau at bwy roedd hi'n cyfeirio. Mae enwau pobol a phentrefi, yn naturiol ddigon, yn cael eu newid mewn llyfr fel hwn rhag achosi tramgwydd ond yn yr achos yma does dim modd cuddio enw'r pentref. Y pentref oedd Brynsiencyn a'r cyfnod oedd cyfnod Lloyd George a'r Rhyfel Mawr 1914-18.

Roedd gweinidogion y cyfnod yma yn gewri'r Diwygiad, ac un o bregethwyr mwyaf grymus ei oes oedd John Williams, Brynsiencyn. Pan dorrodd y rhyfel allan, fodd bynnag, fe siglwyd seiliau ymneilltuaeth Cymru gyfan pan glywyd fod 'y pregethwr mawr' ei hun, John Williams Brynsiencyn, wedi derbyn comisiwn y brenin i fod yn Swyddog Ricriwtio yn Sir Fôn ac i hel gymaint o wŷr ifainc ag a allai i ymuno â'r fyddin ac i roi 'swllt y brenin' iddyn nhw am wneud.

Roedd Hannah, erbyn hyn, yn dechrau mwynhau'r cwmni a'r sylw. Fe feddyliais am funud y byddai hi'n amlygu ei hun i ni yn ei hafiaith.

Wedi sefydlu'r cyfnod rhaid rŵan oedd ceisio cael esboniad am y crafu a'r dychryn roedd hi wedi'i beri i'r pâr ifanc.

'Pam, Hannah,' meddwn i, 'pam roeddech chi'n dychryn y bobol ifanc bach 'ma sy'n byw yn y tŷ? Rydach chi'n gwneud sŵn crafu yn y nos ac yn tynnu'r dillad oddi ar y gwely. Dydyn nhw wedi gwneud dim i chi.'

A dyma'r ateb parod,

'Pam na wnân nhw fy helpu i ddod o hyd i weithredoedd y ffarm 'ta? Roedd William wedi'u cuddio nhw dan y lloriau.'

Fe ddois i wybod yn ddiweddarach mai tenantiaid oedd y ddau ar y fferm, felly fyddai yna ddim gweithredoedd. Ond mae'n sicr bod cytundeb rhwng y tenant a'r tirfeddiannwr, ac efallai mai'r cytundeb hwnnw oedd wedi mynd ar goll.

Roedd yna ŵr ifanc, Ifan Hughes, oedd yn agos iawn

at Hannah, wedi cael ei ladd yn y ffosydd, ac roedd hi'n methu â deall pam nad oedden ni'n ei adnabod o. Roedd pawb yn adnabod Ifan, meddai hi. Fe ddywedodd fod ei enw ar y gofgolofn oedd wedi cael ei pheintio'n ddiweddar — y chweched enw o'r gwaelod.

Dyma ofyn wedyn ble roedd y gofgolofn ac ar hyn fe ddechreuodd Hannah fynd dipyn yn wirion,

'Bethesda,' meddai hi gyntaf, yna Llangadwaladr, ac wedyn dyma hi'n dechrau gwylltio efo mi a mynd i siarad am bethau eraill.

'Gad'wch iddo fod,' meddai Elwyn. 'Fe alla i weld y gofeb mae hi'n sôn amdani. Mae hi ar wal y tu allan i Neuadd Goffa neu Neuadd Eglwys sydd wedi cael ei pheintio'n wyrdd. Ac mae hi'n dweud y gwir, y chweched o'r gwaelod ydi enw Ifan Hughes.

Fe dreuliais i amser maith ar ôl hyn yn tramwyo Sir Fôn yn chwilio am y gofeb oedd yn coffáu Ifan Hughes. Hyd yn hyn rydw i wedi methu â dod o hyd iddi.

Roedd Hannah yn parablu ymlaen fel un oedd yn falch o gael tipyn o gwmni. Er iddi sôn am nifer fawr o gymeriadau roedd yn dod yn ôl o hyd ac o hyd at Ifan Hughes ac fe gawson ni'r argraff fod ei gŵr, William, a'r Ifan yma, oedd efallai yn frawd iddi, wedi cael eu lladd yn y ffosydd. Fe ddechreuodd Hannah fynd dros ben llestri braidd a dweud pethau gwirion ar ôl hyn. Yna, mor sydyn ag y daeth aton ni, fe'n gadawodd ni.

Fe aeth Zoe i'r gegin i wneud paned ac fe roddodd Peter ragor o lo ar y tân tra oedd Elwyn, fel rhyw brifathro, yn edrych dros fy ysgwydd i sicrhau fy mod i'n croniclo popeth yn gywir.

Roedden ni wrthi'n yfed y te pan ddywedodd Elwyn,

'Ma' hi'n dod yn ôl.'

Fe glywais Peter a Zoe'n cymryd anadl ddofn a phan edrychais i'w cyfeiriad roedd y ddau'n eistedd yn syth bin ac yn syllu at ddrws y gegin.

'Ydach chi'n gweld rhywbeth?' meddwn i.

Chefais i ddim ateb gan Peter ond fe bwyntiodd Zoe i gyfeiriad y gegin. Pwyntio a dweud 'Oh' bedair neu bum gwaith drwy'i dannedd. O leiaf, roeddwn i'n gwybod i ble i edrych. A dyma finnau rŵan yn syllu i'r un gornel â hwythau ac fe welais innau Hannah. Ar y cychwyn rhyw siâp aneglur oedd hi ond roedd yn dod yn gliriach wrth i mi ddal i syllu.

Dyna lle roedd Hannah i'w gweld yn glir, yn rhyfeddol o glir i un fel fi nad oedd byth yn gallu gweld ysbryd, dim ond yn cynnal sgwrs unochrog â nhw.

Gwraig fechan yn ei chwedegau oedd hi, a'i gwallt yn gwynnu ac wedi'i dorri'n gwta. Roedd lliw hyfryd i'w chroen — lliw awyr iach. Fe edrychai'n wraig landeg, hoffus. Roedd yn anodd credu mai hi oedd wedi achosi'r fath fraw i Peter a Zoe ac wedi traethu mor gas am John Williams Brynsiencyn a Mr Parry'r person plwy. Yna mor sydyn ag yr ymddangosodd, fe ddiflannodd Hannah am yr eildro.

Fe aeth Elwyn ati i esbonio i'r cwpwl ifanc ei bod yn amlwg fod un ohonyn nhw, neu efallai'r ddau, yn bersonoliaeth *focus,* sef personoliaeth efo pŵerau seicic neu *medium* (fe gytunwyd yn ddiweddarach mai Zoe oedd honno) neu fyddai Hannah ddim wedi medru gwneud y sŵn crafu yn glywadwy iddyn nhw. Fe esboniodd hefyd nad oedd raid iddyn nhw ofni unrhyw berygl oddi wrth Hannah; dim ond ymweld o dro i dro â'i hen gynefin roedd hi.

Fe ddywedodd y ddau nad oedd ganddyn nhw ddim ofn bellach ar ôl gweld un mor annwyl oedd Hannah.

'Ar ôl ei gweld hi,' meddai Zoe, 'mae croeso iddi ddod i mewn ac allan fel y mynn, ond mi fyddwn i'n falch pe bai hi'n rhoi'r gorau i'r hen sŵn crafu 'na yn y nos!'

Bore drannoeth fe ffoniais i ficer y plwy i roi braslun iddo o hanes y noson cynt ac i ofyn oedd o'n gwybod am un o hen drigolion y pentref fyddai'n gallu cofio cyfnod y Rhyfel Mawr a phwy oedd tenantiaid y ffermydd yr adeg honno.

Mae fy warden eglwysig i a'i wraig yn byw yn y pentref,' meddai. 'Mae'r ddau yn eu hwythdegau ac mae eu cof nhw'n berffaith.'

Y pnawn hwnnw dyma fi'n mynd i weld y warden a'i wraig a dechrau holi.

'Ydach chi'n cofio pwy oedd tenantiaid Gelli Fair yn ystod y Rhyfel Mawr?' meddwn i.

'William a Hannah Roberts,' meddai'r ddau.

'Beth ddigwyddodd iddyn nhw?' meddwn innau.

'Wel,' meddai'r warden, 'fe laddwyd William yn Ypres.'

'A Hannah?'

'Fe arhosodd Hannah ar y fferm am beth amser, ond fe aeth pethau'n flêr efo telerau'r denantiaeth rhyngddi hi a'r sgweiar. Roedd Hannah yn methu â deall pam na allai hi ganlyn ymlaen, a'i gŵr wedi rhoi'i fywyd dros ei wlad.

'Fe gynigiwyd bwthyn bach iddi ar y stad,' meddai'r

warden, 'ond fe wrthododd. Ymhen tipyn fe briododd ŵr o ochrau Conwy ond ar ôl iddo farw fe ddaeth yn ôl i fyw gweddill ei dyddiau yn y pentre.'

'Beth wyddoch chi am ei chysylltiad efo Ifan Hughes?' meddwn i wedyn. Doedd yr un o'r ddau yn gwybod dim am Ifan Hughes ond roedd yr hen warden yn cofio fod Hannah yn wraig smart iawn ac ar ôl iddi golli ei gŵr mae'n debyg fod sawl un wedi gofyn am ei llaw mewn priodas. Efallai fod Ifan Hughes yn un o'r rheini.

'Rydw i'n cymryd nad oedd hi'n aelod o'r Eglwys Esgobol?' meddwn innau wedyn.

Ar hyn dyma'r hen warden yn codi'i ddwylo, 'Gwarchod pawb nac oedd! Capel Mawr a Lloyd George *for ever* oedd Hannah. Fe gafodd Mr Parry'r person amser ofnadwy ganddi yn ystod y datgysylltiad. Roedd hi'n ei alw fo'n bob enw, y creadur bach.'

Roedd y ddau ohonyn nhw'n cofio i fricsen gael ei thaflu drwy ffenest tŷ eglwyswr un noson ar ôl cyfarfod datgysylltu'r eglwys yn festri Capel Mawr, ac roedd y ddau'n amau fod Hannah yn gwybod yn iawn pwy a'i taflodd hi.

'Roedd hi'n selog yn y capel felly?' meddwn i.

'Dair gwaith bob Sul, byth yn colli, yn rheolaidd fel cloc,' meddai'r warden.

Ar hyn dyma'i wraig yn torri ar ei draws,

'Oedd, roedd hi'n selog, ond yng nghyfnod y Parch John Williams, mi ddaru hi sori a mynd i addoli i'r pentre nesaf, i Langadwaladr.'

'Rargian ia,' meddai'r hen fachgen. 'Roeddwn i wedi anghofio'r cwbwl am hynny. A'r Sul ar ôl i John

Williams symud oddi yma, roedd Hannah yn ei hôl yn y Capel Mawr yn union fel tae dim wedi digwydd.'

Yn y pnawn fe es i'r fynwent a sefyll ger bedd Hannah Roberts a gladdwyd yn 87 oed yn y flwyddyn 1962. Fe gefais deimlad digon rhyfedd wrth sefyll ger bedd gwraig y bûm i'n siarad â hi y noson cynt.

Wythnos yn ddiweddarach fe ffoniais Peter a Zoe i weld oedden nhw wedi mynd yn ôl i'r tŷ ac i holi oedd popeth yn iawn.

'Popeth yn grët, dim problem o gwbwl,' meddai Peter. 'Ond mae Hannah yn dal i fod efo ni o hyd.'

Fe gynigiais gael gair arall efo Elwyn i weld beth allen ni ei wneud ymhellach.

'O na, plîs,' meddai Peter. 'Dydyn ni ddim isio rhwystro Hannah rhag dod i'n gweld ni. Ar ôl ei chyfarfod hi a sylweddoli ei bod hi'n hen ledi fach mor neis, mae Zoe a minnau'n reit hapus iddi fod yma.'

Felly y gadawyd pethau.

Fisoedd wedyn fe ofynnodd rhywun i mi a oeddwn i wedi clywed am dŷ yn Sir Fôn ag ysbryd ynddo fo. Roedd cwpwl ifanc, hoff iawn o gynnal partïon yn byw yn y tŷ. Yn ystod y partïon yma fe fyddai'r pâr ifanc yn dweud wrth eu gwesteion fod yna ysbryd yn y tŷ ac fel rheol fe fyddai rhai o'r gwesteion yn dweud nad oedden nhw ddim yn credu mewn ysbrydion. Yna fe fyddai'r pâr ifanc yn gwahodd pawb i fynd o amgylch y tŷ, mynd o un stafell i'r llall, agor drysau cypyrddau i ddangos nad oedd neb yn cuddio ynddyn nhw, yna mynd i lawr y grisiau ac ymgynnull yn y stafell fyw.

Y gŵr ifanc wedyn yn dweud mewn llais dolefus,

'Ysbryd caredig, mae yn ein plith ni heno nifer nad

ydyn nhw ddim yn credu mewn ysbrydion, ac rydyn ni'n gofyn iti roddi arwydd iddyn nhw. Wedi i mi gyfri i dri, dyro dithau ddwy gnoc. Un, dau, tri.'

Ac wedyn fe ddôi dwy gnoc uchel o'r llofft uwchben nes bod yr anghredinwyr yn gwelwi!

Wn i ddim ai yn y Gelli Fair, tŷ Peter a Zoe, roedd hyn yn digwydd, ac wn i ddim chwaith ai Hannah oedd yr ysbryd, ond rydw i'n sicr o un peth: os hwn oedd y tŷ, yr un fyddai'n mwynhau'r hwyl fwyaf o'r giawdi i gyd fyddai Hannah Roberts, yr ysbryd.

Y Talentau

Canolwr neu gyfryngwr ydi'r ddau air a roddir yn fy ngeiriadur i i ddisgrifio *medium*. Dydi'r un o'r ddau'n cyfleu'r syniad am y *medium* seicic y sonia i amdano. Trwy drugaredd, mae'r syniad fod yn rhaid cyfieithu pob gair yn wasaidd i'r Gymraeg yn marw allan. Rydw i'n cofio'r *wireless* yn cael ei galw yn ddi-wifr a'r teliffon yn cael yr enw hyll, pellebr. Mae gynnon ni gymaint o hawl i'r gair radio ag sydd gan unrhyw genedl a hefyd i'r gair Groegaidd teliffon, ac ar sail hynny rydw i am alw *medium* yn fediwm. Mediwm ydi person sydd â'r ddawn i greu pont rhwng y byw a'r marw.

Fe synnech chi gynifer o bobol sydd â'r ddawn ryfedd yma ganddyn nhw, a llawer ohonyn nhw heb sylweddoli hynny. Mae'r rhai sy'n defnyddio'r ddawn yn dweud ei bod weithiau yn dipyn o straen delio efo'r ysbrydion o'r tu hwnt sydd yn swnian ac yn crefu am help i gael dod yn ôl i'r ddaear. Mae'r cyfrifoldeb yn fawr ac yn aml iawn mae'n rhaid dweud wrthyn nhw'n bendant iawn am ymatal neu fe all bywyd y mediwm fynd yn fwrn.

Does dim amheuaeth gen i fod yna rai personau, nifer fechan, fechan, sydd, ar ôl marw, yn methu â dygymod â'r ffaith ac o'r herwydd yn hofran uwch y ddaear — o gwmpas eu hen gynefin fel arfer. Dyma'r ysbrydion daeargyfyng *(earthbound)*. Pan fydda i'n dod ar draws creadur fel hyn does dim alla i ei wneud oherwydd nad ydi'r dalent gen i, ond fe fyddai gwrthod estyn cymorth i ryddhau'r math yma o ysbryd yn beth gresynus iawn. Mae'r dalent wedi'i rhoi i'w defnyddio ac mae digon o waith ar ei chyfer ond mae'r cyfrifoldeb yn fawr. Ond os yw'r cyfrifoldeb yn fawr, mae'r gras a'r nerth a roddir gyda'r dalent yn fawr hefyd.

Yn ystod fy ngweinidogaeth, rydw i wedi cyfarfod llawer mediwm sydd yn aelod o'r eglwys ysbrydegol. Mae llawer iawn hefyd, fel Elwyn Roberts, sydd heb gysylltiad o gwbwl ag ysbrydegaeth ond yn gallu cyfathrachu â'r meirw.

Maen nhw i gyd yn ddieithriad yn bobol dyner a charedig, yn amyneddgar ac yn gymwynasgar eu natur. Wn i ddim am un ohonyn nhw sydd, fel fi, yn dipyn o *extrovert*, yn tynnu sylw ato'i hun ac yn swnllyd. Mae'r rhelyw ohonyn nhw yn siarad â llais gwylaidd, distaw, ac ar ben hynny mae gan amryw ohonyn nhw dalentau ychwanegol fel rhyw iawndal am gyfrifoldeb y dalent fawr. Mae llawer ohonyn nhw'n gallu iacháu, eraill yn cael cipolygon i'r dyfodol, eraill wedyn yn cael pleser wrth ddewino dŵr a dod o hyd i bethau cudd efo pendil a llinyn.

Pan ofynnir iddyn nhw am y doniau hyn eu hymateb ydi:

'Iacháu? Dewino dŵr? Fe all unrhyw un wneud y pethau yma dim ond iddyn nhw fynd ati.'

Fe fydda i'n gwylltio wrthyn nhw am hyn a finnau'n gwybod yn iawn fy mod i'n hollol dwp yn y pethau yma. Ond maen nhw'n dal i fynnu mai rhoddion ydi'r rhain sydd wedi eu rhoi i holl ddynolryw. Os nad ydyn nhw'n cael eu hymarfer, yna maen nhw'n rhydu ac yn diflannu. Ar y llaw arall, po fwyaf y bydd i'r dalent gael ei hymarfer, mwyaf ei sglein a'i heffeithiolrwydd.

Telepathi

Telepathi ydi'r ddawn ryfedd sy'n galluogi personau i ymddiddan â'i gilydd heb ddefnyddio geiriau. Meddyliau dynol yn anfon ac yn derbyn darluniau oddi wrth ei gilydd a hynny, yn aml, pan fydd pellter mawr rhyngddyn nhw.

Fe roddwn i unrhyw beth am y ddawn yma, petae dim ond er mwyn cael talu'n ôl i'm ffrindiau, y mediwms, a dweud,

'O, telepathi ydach chi'n feddwl? Mae hon yn rhodd sydd wedi ei rhoi i bob un ohonon ni. Mae pawb yn gallu telepatheiddio!'

Fe fyddech yn disgwyl iddo fod yn rhan o gymeriad pobol seicig, ond dydw i ddim yn meddwl ei fod. Hyd yn hyn does yr un o'm cyfeillion mediwmistig wedi honni fod y gallu yma ganddo.

Yn ddiweddar, mae yna sibrydion wedi dod o Rwsia fod gwyddonwyr y wlad honno yn gwario miliynau ar feithrin y gelfyddyd o alluogi meddyliau i gyfathrachu â'i gilydd dros bellter gan obeithio, trwy hyn, allu cysylltu ryw ddiwrnod, â bodau deallus eraill all fod yn byw yn y bydysawd.

Y tro cyntaf erioed i mi glywed straeon cyffrous am delepathi oedd pan oeddwn i'n gurad ym mhlwy Pen-y-groes a Llanllyfni. Ar y pryd, roeddwn i'n hoff iawn o fynd i weld Capten Williams, oedd yn ei wythdegau ac yn byw yn Nantlle. Yn ystod ei yrfa ar y môr bu'n marchnata rhwng Prydain ac arfordir Gorllewin Affrica yn ei long fasnach ei hun.

Y drefn fyddai cael comisiwn gan farsiandïwr i gludo nwyddau i Affrica ac wedyn chwilio am lwyth i'w gario ar y siwrnai adref.

Ar ôl glanio a dadlwytho yn un o borthladdoedd Gorllewin Affrica fe arferai'r capten adael dau neu dri o ddynion ar y llong yn y porthladd i'w gwarchod tra byddai yntau a gweddill y criw yn mynd i diriogaeth y mynydd gan aros gyda'r gwahanol lwythau, ambell waith am wythnosau. *White man's grave* oedd yr enw ar y rhanbarth yma, ond y gwres oedd yn lladd, nid y brodorion. Roedd y capten a'i ddynion yn cael croeso brwd bob amser am eu bod, mae'n debyg, yn cario tlysau a nwyddau yn gyfnewid am gynnyrch y llwyth.

'Ond,' meddai'r hen gapten, 'roedd y broses o fasnachu yn golygu bargeinio, gwledda a phwyllgora, a hynny am ddyddiau lawer weithiau. Roedd rhaid aros yn y pentref nes bod y fargen derfynol wedi ei tharo rhwng y pennaeth a'r capten.

Y drefn, meddai Capten Williams, fyddai i griw'r llong godi papell iddyn nhw eu hunain a phabell arall ychydig yn llai ac ar wahân iddo fo.

Wrth ymweld â'r gwahanol bentrefi yn Affrica, yr un fyddai'r drefn bob amser: ar doriad gwawr fe welech chi'r brodorion, yn ddynion, merched a phlant, yn ymgasglu at ei gilydd i un llecyn ac yn sefyll yn ddistaw. Rai munudau'n ddiweddarach fe fyddai gwrachfeddyg y llwyth yn cerdded atyn nhw'n araf o gyfeiriad y goedwig ac yn cymryd ei le yn urddasol ar godiad tir bychan yng nghanol y pentref. Wedyn fe fyddai'n cyfarch ei wrandawyr a hwythau'n bloeddio eu cyfarchiad iddo yntau. Yna, munud o ddistawrwydd cyn iddo godi ei lais eto ac adrodd yr holl newyddion am y tylwythau o'u hamgylch.

'Pwy ohonoch chi sy'n cofio Malw, y rhyfelwr mawr ac enwog o dylwyth yr Isw?'

A'r dorf yn ateb, 'Mae pawb yn adnabod Malw, y milwr craff a'r milwr dewr.'

Y meddyg wedyn yn torri'r newydd na fydd i Malw byth ryfela mwyach, gan ei fod wedi ei gael yn euog o ddwyn nwyddau o dŷ brawd pennaeth ei lwyth, a'r gosb am ladrad oedd cael torri ei law i ffwrdd. Ymateb prudd a chwynfanus gan y dorf am sawl munud.

Newyddion wedyn am lwyth yr Icawawe: Raci, mab y pennaeth, wedi dyweddïo â merch o'r enw Achia. Yr hen wrachfeddyg, Manga Wanga, nid yn unig yn adrodd y newyddion i'w wrandawyr ond yn eu hactio hefyd. Pan ddaeth i roi'r bwletin diweddaraf am ddioddefiadau *lumbago* y Pennaeth Lukuwaio, o lwyth y Maleki, roedd o'n cerdded yn ei ddau ddwbwl ymhlith ei wrandawyr ac yn griddfan mor uchel nes bod holl gŵn y pentref yn udo efo fo.

Fel yna, ddydd ar ôl dydd roedd newyddion y fro'n cael eu cyhoeddi. Y cyflwyniad gan Manga Wanga, y gwrachfeddyg, a'r ymateb gan y dorf. Mwy o deledu brecwast nag o radio.

Roedd Capten Williams wedi sylwi fod Manga Wanga yn gadael y pentref bob bore ryw awr cyn toriad gwawr ac yn sleifio'n ddistaw i gyfeiriad y goedwig.

'Un tro, dyma fi'n codi ac yn ei ddilyn o,' meddai'r

capten. 'Rydw i'n siŵr ei fod o'n gwybod fy mod i yno ond ddaru o ddim edrych dros ei ysgwydd unwaith.'

Fe gerddodd ar hyd llwybr y goedwig nes dod i fan agored gyda phwt o fryncyn yn ei ganol. Tra arhosai'r capten yn nhywyllwch y coed fe aeth Manga Wanga yn ei flaen i ben y codiad tir a sefyll yno'n berffaith lonydd. Yna fe roddodd ochenaid fawr gan adael i'w gorff ymlacio'n llwyr. Tawelwch wedyn am dri chwarter awr a'r hen feddyg yn sefyll yn berffaith lonydd. Toc, dyma fo'n dechrau symud ac yn codi ei freichiau'n raddol uwch ei ben nes ei fod yn sefyll rhwng dau olau fel rhyw gawr cyntefig. Chwarter awr o sefyll fel hyn wedyn a'i gorff hir fel pe'n siglo yn awel y bore. Yna ymlacio ac ochenaid fawr arall cyn disgyn o'i bulpud a throi ei gamre tuag adref.

Roedd hi bellach yn gwawrio a'r capten, o barch i seremoni newyddion oesoedd, yn aros ar ôl yn ei guddfan gan wybod fod y pentrefwyr i gyd erbyn hyn wedi cymryd eu llefydd i glywed newyddion y dydd gan y gwrachfeddyg. Fe gredai'r capten ei fod o hefyd wedi anfon hanes ei dylwyth ei hun i'r tylwythau eraill yn y chwarter awr olaf hwnnw pan safai mor dal a'i freichiau uwch ei ben ar y bryncyn. Roedd Capten Williams yn sicr ei fod o, yn y bore bach, wedi bod yn llygad dyst i system gyfathrebu mwyaf hynafol, a mwyaf effeithiol a didrafferth yr holl fyd.

Roeddwn i am wybod ganddo fo wedyn pa mor bell oedd y gwrachfeddygon yma'n gallu taflu eu meddyliau.

'Wel,' meddai'r capten. 'Dydw i ddim yn meddwl fod a wnelo pellter ddim â'r peth. Roedd rhai o'r tylwythau roedd yr hen feddyg yn siarad â nhw ddeng milltir i ffwrdd, eraill dros ugain, ac roedd yna un oedd dros hanner can milltir i ffwrdd.' A dyma fo'n mynd yn ei flaen i ddweud stori a glywodd yn Ne Affrica.

Roedd fferm yn Ne Affrica lle roedd y perchennog gwyn a'r gweision duon yn cyd-weithio'n hapus gytûn. Ond un diwrnod pan ddaeth y meistr gwyn i fuarth y fferm fe welodd ei weithwyr yn cilio'n euog oddi wrtho ac yn sefyll yn griw pryderus mewn cornel. Dyma ofyn i'r pen gwas beth oedd yn bod. Hwnnw wedyn, oedd fel rheol yn ymddwyn fel pob gweithiwr arall tuag at ei feistr, yn llusgo ato ar ei fol ac yn dechrau cusanu ei esgidiau.

'Saf ar dy draed y munud 'ma,' meddai'r meistr, 'a dywed wrtha i beth sy'n bod. Beth sy'n achosi'r fath fraw ichi i gyd?'

'O feistr trugarog syr,' meddai'r pen gwas. 'Mae 'na rywbeth ofnadwy wedi digwydd ymhell bell yn y gogledd. Chwech o ddynion duon drwg wedi lladd dyn gwyn a rŵan mi fydd y dynion gwyn yn ddig ac yn cosbi dynion duon. Rydyn ni i gyd mewn ofn meistr syr.'

Rhyw dro ar ddechrau'r ganrif y digwyddodd hyn, yn y cyfnod pan fyddai negeseuon a newyddion yn cael eu hanfon allan gyda chôd morse. Bedwar diwrnod wedi i'r ffermwr yn Ne Affrica glywed gan ei ddynion am y llofruddiaeth, fe ddaeth yr un newydd ar y telegraff o'r Sudan lle digwyddodd y drosedd.

Rydyn ni heddiw mor glyfar, yn gallu amgylchynu'r ddaear mewn munudau ac anfon dynion i gerdded ar wyneb y lleuad. Fe wyddai'r hen Gapten Williams am ddynion yn byw yn Affrica bron i gan mlynedd yn ôl oedd yn sefyll ar dwmpath o bridd ac anfon a derbyn negeseuon dros bellter o gannoedd o filltiroedd dim ond trwy diwnio'u meddyliau i'r un donfedd â'i gilydd.

Seicometri neu Ddweud Ffortiwn

Tipyn o hwyl yn aml iawn ydi cael dweud eich ffortiwn. Mewn arwerthiant i godi arian at yr ysgol feithrin fe welwch, efallai, Mrs Abigail Hughes wedi gwisgo fel sipsi ac yn dweud ffortiwn am 50c y pen trwy droi cardiau neu edrych ar ddail te mewn cwpan.

Ond mae yna ddweud ffortiwn hollol wahanol i'w gael hefyd. Dweud ffortiwn y *clairvoyant* neu'r gweledydd. Efallai mai'r enghraifft gyntaf a ddaw i feddwl llawer ohonon ni ydi hanes yr Arglwydd Iesu yn cyfarfod â Nathanael (Ioan 1:47).

Iesu a ganfu Nathanael yn dyfod ato, ac a ddywedodd amdano, Wele Israeliad yn wir yn yr hwn nid oes dwyll. Nathanael a ddywedodd wrtho, 'Pa fodd y'm hadwaenost?' Iesu a atebodd ac a ddywedodd wrtho, Cyn i Philip dy alw di, pan oeddit tan y ffigysbren, mi a'th welais di.

Rydw i bellach wedi cyfarfod nifer fawr iawn o bobol sy'n honni fod yr un ddawn o ail-weledìad ganddyn nhwythau. Mae fy ffrind, Winnie Marshall, yn dweud fod y gweledydd fel gyrrwr modur yn edrych ar y ffordd o'i flaen a hefyd yn cadw golwg ar y drych i weld beth sy'n digwydd y tu ôl iddo. Rhyw ddarlun cymysg sydd yn y drych — ceir yn dilyn, pobol ar y palmant a choed yn y cefndir. Ond ambell waith mae rhai pethau unigol yn sefyll allan — ambiwlans yn fflachio golau glas, modur yn troi i osgoi dwy ddafad â'u bryd ar groesi'r ffordd — darluniau i graffu arnyn nhw.

I weledydd, meddai Mrs Marshall, mae yna nid yn unig yr hyn mae'r llygaid yn ei weld ond hefyd y darluniau sydd ar yr un pryd yn troelli trwy'r meddwl.

Ei hoff stori ydi'r un am enedigaeth ei hwyr bach cyntaf. Yng nghanol cymhlethdod y lluniau oedd yn mynd trwy'i meddwl un diwrnod roedd darlun o fabi bach gwryw yn mynd yn ôl ac ymlaen.

'Hm,' meddai Mrs Marshall, 'mae hwnna'n edrych yn debyg i un o deulu'r Marshalls.' Dyma stopio'r sgrîn i gael gwell golwg arno. Bythefnos yn ddiweddarach sbonciodd ei merch i'r tŷ,

'Newydd da, Mam,' meddai hi. 'Rydw i newydd fod at y meddyg. Rydach chi'n mynd i fod yn nain.'

A dyna Mrs Marshall yn dechrau gwau dillad babi efo edafedd glas.

Fel hyn mae dweud ffortiwn yn cychwyn. Un person yn gweld rhibidires o ddarluniau yn ei feddwl. Y gamp yn aml ydi dehongli'r lluniau a rhoi ystyr iddyn nhw. Seicometri ydi'r enw ar ffurf mwy personol o ddweud ffortiwn. Y tro yma fe rydd yr holwr rywbeth o'i eiddo — modrwy, wats neu waled efallai — i'r gweledydd. Lluniau o fywyd yr holwr fydd y rhelyw o'r rhai a ddaw i feddwl y gweledydd wrth iddo afael yn yr eiddo. Yma eto mae celfyddyd dweud ffortiwn yn dibynnu ar y gallu i ddidoli a dehongli'r lluniau.

Ar hyd fy oes rydw i wedi bod yn ofni cael dweud fy ffortiwn. Ar y llaw arall, roeddwn i'n benderfynol mai fy mhrofiadau fy hun ac nid rhai pobol eraill oeddwn i am eu trafod wrth sgrifennu llyfr. Doedd dim i'w wneud felly ond mynd yn eithaf crynedig at fy ffrind Mrs Marshall a gofyn iddi ddweud fy ffortiwn. Dyma roi fy waled iddi, hithau yn ei chymryd yn ei llaw ac yn ei gwasgu i'w mynwes. Yna dyma hi'n dechrau siglo yn ôl a blaen ac fe gefais gysur o weld gwên ar ei hwyneb. Fyddai Winnie byth yn gwenu pe bai hi'n gweld fy mod i'n mynd i'w heglu hi o'r hen fyd 'ma cyn y bore. Fe wyddwn y gallwn i ymddiried yn fy hen ffrind. Dydw i ddim am ddweud wrth neb beth ddywedodd Winnie wrtha i. Ein cyfrinach ni'n dau ydi hynny. Ond fe ddywedodd hi ddigon i'm sicrhau fod Winnie Marshall yn gallu gweld yn glir iawn i'r gorffennol ac i'r dyfodol. Disgrifiodd i mi y pnawn hwnnw bethau amdana i fy hun nad oedd ond Duw a minnau, a bellach Winnie Marshall, yn eu gwybod.

'Ydi o'n beth drwg mynd at y bobol dweud ffortiwn 'ma?' meddech chi.

Wel, dydw i ddim yn bwriadu mynd eto, ond i ateb y cwestiwn, mae'n rhaid i'r unigolyn ateb un cwestiwn iddo'i hun. Os mai rhodd neu ddawn ydi'r gallu i ddweud ffortiwn, yna gan bwy y rhoddwyd y ddawn? Gan Dduw ynteu gan y Diafol?

Rydw i'n cofio i mi fod yn bresennol mewn sgarmes seicometrol rhwng dau gawr. Fy warden eglwysig am flynyddoedd lawer oedd y Fonesig Janet Douglas Pennant. Rai blynyddoedd yn ôl roedd ffrind iddi, y Fonesig Laura McConnell yn aros gyda hi. Roedd y wraig honno mewn tipyn o oed ac wedi ymddeol o'i swydd fel llawfeddyg yn Stryd Harley yn Llundain; roedd hi hefyd yn fediwm enwog iawn. Fe ofynnodd y

Fonesig Janet i mi, gyda fflach o ddireidi yn ei llygaid, beth feddyliwn i o'r syniad o drefnu cyfarfyddiad rhwng y Fonesig Laura ac Elwyn Roberts.

O ganlyniad fe gafoddd Elwyn a minnau wahoddiad i giniawa yn y Penrhyn. Wedi gorffen bwyta dyma symud yn ôl i'r stafell fyw a chyn i ni gael eistedd i lawr bron fe afaelodd y Fonesig Laura yn wats Elwyn a dechrau siarad am ei broblemau a sut roedden nhw'n mynd i droi allan.

Roeddwn i'n adnabod Elwyn yn ddigon da erbyn hyn ac yn gwybod am lawer iawn o'r pethau oedd yn ei boeni ac yn gwybod hefyd am ei obeithion. Fel roedd yr hen wraig yn disgrifio'r hyn a welai roeddwn i'n ei chael hi'n anodd peidio â thorri ar ei thraws a dechrau porthi,

'Ia, rydach chi'n iawn. Mae'r pethau rydach chi'n eu dweud am Elwyn yn berffaith wir.'

Ond ddywedais i ddim a ddywedodd Elwyn ddim ychwaith, — dim hyd yn oed nodio'i ben. Rydw i'n cofio'r Fonesig Laura'n dweud,

'Rydw i'n gweld drws — drws eich swyddfa neu ddrws eich labordy chi. Rydach chi'n curo ac yn curo ar y drws yma ac yn methu â'i agor. Rydach chi'n cerdded i ffwrdd ond dro ar ôl tro yn dod yn ôl i ailguro ar y drws. Daliwch i guro,' meddai hi, 'mae'r drws yma yn mynd i agor i chi, a hynny yn y dyfodol agos.'

Fe wyddwn fel roedd Elwyn wedi bod yn arbrofi yn ei labordy a bod yr ymchwil yn mynd ymlaen ac ymlaen heb iddo allu gweld llygedyn o olau ym mhen y twnnel, nac elw i'w gyflogwr. Roeddwn i'n rhyfeddu â'm ceg yn agored at yr holl bethau a wyddai'r wraig ddieithr yma am Elwyn. Ddywedodd o yr un gair, dim ond rhyw

'Diolch yn fawr' digon sychlyd wrth dderbyn ei wats yn ôl.

Wedyn fe gymerodd Elwyn wats y Fonesig Laura a'i dal yn ei law am funud neu ddau.

'Rydw i'n gweld,' meddai yntau, 'nifer o ferched ifanc a chithau ar y blaen. Mae rhaff am ganol pob un o'r merched ac am eich canol chithau ac rydach chi'n eu tynnu nhw i fyny ochor mynydd serth.

'Ha, ha,' meddai'r wraig o Lundain dros y lle. 'Dyna chi wedi disgrifio'r tîm o ferched cyntaf i ddringo . . .,' a dyna hi'n enwi rhyw fynydd yn Affrica. 'A fi,' meddai, 'gafodd y fraint o arwain y tîm hwnnw.'

'Rydw i'n gweld hefyd,' meddai Elwyn, 'awyren fach sengl a dwy aden o bobtu iddi. Mae'n edrych yn hen-ffasiwn iawn i mi. Gwyn a llinellau coch ydi hi ac rydw i'n gallu gweld y llythrennau, C.S.C.24 ar ei hochor hi.'

'Machgen bach i,' meddai'r foneddiges, 'dyna chi rŵan wedi gweld yr awyren gyntaf fu gen i erioed. Rhyfedd i honna o bopeth ddod i'r amlwg.'

Do, fe gafwyd noson hynod o ddiddorol yn y Penrhyn a dydw i ddim yn meddwl i neb oedd yn bresennol fynd i'w wely y noson honno heb gredu yn ddiffuant iawn mewn seicometri.

Anghofia i byth mo'r seicometri ddaru Winnie Marshall ei ddangos y noson gyntaf i mi ei chyfarfod. Honno oedd y noson y buon ni'n ymweld â'r tŷ cyngor yn Nhregarth. Yn y car ar y ffordd i fyny dyma Winnie'n gofyn cwestiwn oedd yn swnio'n gwestiwn gwirion, ac eto fe wyddwn nad oedd o ddim.

'Allwch chi ddweud wrtha i,' meddai hi, 'pam rydw

i'n eich gweld chi â phapurau punt ynghlwm wrth eich bysedd chi?'

Roedd y cwestiwn yn anhygoel. Funudau ynghynt, tra oeddwn i'n disgwyl iddi hi ac Elwyn ddod i'm nôl i'r Ficerdy, roeddwn i wedi sylweddoli fod gen i fwndel o bapurau punt yn fy mhoced a dyma fi'n penderfynu peidio â mynd â nhw allan efo fi ond eu gadael yn ddiogel yn y tŷ. Cyn eu rhoi yn nrôr y ddesg, am ryw reswm neu'i gilydd, dyma fi'n dechrau eu cyfri nhw. Eu cyfri nhw roeddwn i pan ddaeth y car at y drws a rŵan dyma'r wraig ddieithr oedd yn y car yn gofyn imi, 'Pam rydw i'n eich gweld chi â phapurau punt ynghlwm wrth eich bysedd chi?'

Ar ôl cyrraedd y tŷ yn Nhregarth, dyma Winnie'n paratoi i ymlacio ond unwaith eto roedd yna ryw donfedd ohonof i oedd yn amharu arni, a dyma gwestiwn arall,

'Mae'n ddrwg gen i,' meddai, 'ond alla i ddim llwyr ymollwng os bydd gen i gwestiwn heb ei ateb. Tybed oes gynnoch chi ateb i'r hyn rydw i'n ei weld yn awr?'

A dyma hi'n mynd ati i ddweud fel roedd hi'n fy ngweld i'n curo ar ddrws ffermdy bychan; gwraig tua hanner cant oed yn agor y drws; gwisg laes amdani a ffedog wen i lawr at ei thraed. Y wraig yn amlwg yn falch o'm gweld ac yn fy arwain drwy'r stafell gan agor drws ffwrn eirias ym mhen draw'r stafell. Yna, dyma'r wraig, â gwên hapus ar ei hwyneb, yn cerdded i mewn i'r fflamau ac yn troi i'm gwadd innau i'w dilyn a dyma finnau'n cerdded ar ei hôl i ganol y tân. Cyn pen eiliad, fe gerddodd y wraig allan o'r tân heb farc ar ei chorff na'i dillad; yna dyna hi'n cau drws y ffwrn yn ofalus a'm gadael i y tu mewn.

Roedd cael esboniad ar y weledigaeth yma dipyn anoddach nag esbonio'r papurau punt.

Y wraig ganol oed a'r ffedog wen oedd Emily, gwraig ddibriod, ychydig yn ddiniwed, oedd yn byw gyda'i chwaer mewn tyddyn bach yn y plwy. Roedd y ddwy wedi marw rhyw dair blynedd ynghynt. Yn yr hen fwthyn bach roedd yna simdde fawr *Inglenook* — clamp o un, a lle i dri eistedd o bobtu'r tân, gyda llenni melfed i gadw'r drafft allan yn y gaeaf. Yma, yn yr Hendre Fach, y byddwn i'n gorffen fy ymweliadau ar bnawniau oer yn Nhachwedd. Fe fyddai Emily yn fy rhoi i ddadmer yn y simdde fawr ac yn cau'r llenni melfed arna i tra byddai hi'n berwi'r tegell ac yn rhoi menyn ffres ar y bara gwyn oedd newydd ddod o'r popty. Wyddai neb ond ni'n dau am y te bach cudd yn yr Hendre ond rywsut roedd Winnie Marshall yn gallu gweld yr olygfa ac yn gofyn i mi am yr esboniad.

Fe atgoffodd Winnie fi hefyd am ddiwrnod caled a thrist yn fy mywyd. Sôn roedd hi am bnawn Sul braf ynghanol haf tua phum mlynedd ynghynt. Roeddwn i'n torheulo yn yr ardd ac fe dorrodd seiren brigâd dân ac ambiwlans ar draws y tawelwch. Toc fe ganodd y ffôn a rhoi'r newydd fod John wedi boddi yn y llyn du, a bod ei fam i ffwrdd oddi cartref ond yn cyrraedd Bangor ar y trên wyth o'r gloch ac mai fi, yn fwy na thebyg, fyddai'r un i dorri'r newydd trist iddi.

Rŵan, bum mlynedd yn ddiweddarach, roedd Winnie Marshall yn disgrifio'n union yr hyn a ddigwyddodd.

'Rydw i'n gweld,' meddai, 'lyn bychan a choed uchel o'i gwmpas yn ei gysgodi oddi wrth yr haul. Mae yna bedwar llanc ifanc yn cerdded drwy'r coed ac yn cario cwch neu rafft at lan y dŵr. Maen nhw'n eistedd ar y rafft, dau o bobtu, ac yn dechrau rhwyfo â'u dwylo i ganol y llyn. Mae un o'r bechgyn i'w weld yn syllu'n ddifrifol i waelodion y llyn ac yn gwyro'i ben yn nes ac yn nes at wyneb y dŵr. Yna, yn ddisymwth mae'n plymio neu'n syrthio i'r dŵr. Eiliad ar ôl iddo ddiflannu mae'r dŵr yn llyfn fel grisial eto. Ddaeth y corff ddim yn ôl i'r wyneb a doedd dim crych na thon i ddangos man ei ymadawiad.'

Noson y drychineb roedden ni'n eistedd yn fintai fechan yn y parlwr ffrynt a mam John, trwy'i dagrau, yn dweud gymaint o ofn dŵr oedd ganddo fo.

'Roedd ganddo fo ffobia am ddŵr,' meddai hi. 'Hyd yn oed pan oedd o'n hen gwbyn bach wnâi o ddim chwarae ar lan y môr yn Llandudno heb gael ei welingtons am ei draed.'

'Alla i ddim credu,' meddai, 'ei fod o wedi eistedd ar rafft neb o'i wirfodd.'

Fel roedden ni'n siarad fe ddaeth tri o fyfyrwyr oedd yn aros y drws nesaf i mewn.

'Mae'n ddrwg gynnon ni,' meddai un ohonyn nhw. 'Y ni oedd efo John pan ddigwyddodd y peth. Roedden ni wedi gwneud rafft ac yn mynd i roi treial arni ac fe ddaeth John efo ni. Roedd o'n dweud fod arno fo ofn dŵr ond ei fod o isio concro'r ofn, a gan ei fod o'n gwybod fod y tri ohonon ni'n gallu nofio, fe benderfynodd ddod efo ni. Roedden ni'n eistedd ar y rafft, dau un ochr a dau yr ochr arall, yn padlo efo'n dwylo i ganol y llyn pan welson ni John yn gwyro'i ben i syllu i waelod y llyn. Roedd o'n union fel pe bai rhywbeth yn ei dynnu, ac yna dyma fo drosodd ac i mewn. Am funud neu ddau roedden ni'n syllu i'r fan y disgynnodd John gan ddisgwyl iddo fo ddod yn ôl i'r wyneb. Ond ddaeth o ddim. Doedd dim crych na swigen o aer na dim i'w gweld. Fe fu'r tri ohonon ni'n deifio i mewn ac allan i ddyfnder y llyn ac yn hidlo'r mwd ar y gwaelod ond doedd dim golwg o John. Wedyn dyma Peter yn rhedeg i ffonio am y frigâd dân.'

'Ond coeliwch ni,' meddai wedyn, 'fe wnaethon ni bopeth a allen ni ond ddaeth ei gorff o ddim i fyny o gwbwl a doedd 'na ddim crych ar y dŵr lle tynnwyd o i mewn.'

A dyma Winnie Marshall, flynyddoedd yn ddiweddarach, yn disgrifio'r un drychineb a'r un llyn llonydd.

Rydw i'n gwybod na fedra i byth bythoedd ddod i ddeall nac i amgyffred dirgelwch talentau rhyfedd fy nghyfeillion.

Iacháu

Yn ystod ei fywyd daearol, yr Arglwydd Iesu ei hun oedd yn rhoi ei ddwylo ar y claf a'r cloff, y byddar a'r dall ac yn eu hiacháu. Pan gafodd y disgyblion y cyfle i wneud hyn, tipyn o smonach wnaethon nhw o bethau.

Roedd yr Iesu wedi mynd am encil i Fynydd y Gweddnewidiad gyda Phedr, Iago ac Ioan pan ddaeth tad gofidus at y gweddill o'r disgyblion a gofyn iddyn nhw gael gwared â'r cythreuliaid oedd yn poeni ei blentyn. Ond po fwyaf yr ymdrechai'r disgyblion i iacháu'r claf, gwaethygai ei gyflwr, nes bod y rhai oedd yn sefyll o amgylch yn eu dynwared ac yn chwerthin am eu pennau.

Yna daeth yr Iesu a rhoi ei ddwylo ar y plentyn a bwrw allan y cythraul gan ddweud wrth y disgyblion mai math oedd hwn na ellid ei lanhau ond trwy ympryd a gweddi. Roedd y disgyblion druan yn ymddangos yn aml fel pe baen nhw'n berchen dwy law chwith, ond ar ôl y Pentecost, fe newidiodd pethau a hwythau wedyn yn gallu iacháu yr un fath â'r Athro ei hun.

Y stori y bydda i'n ei hoffi ydi'r un am Pedr yn iacháu'r 'claf o groth ei fam'. Bob dydd roedd teulu a chyfeillion y claf yn ei gario a'i roi i eistedd i ofyn elusen y tu allan i'r porth a elwid Prydferth. Pan welodd o Pedr ac Ioan yn dynesu dyma fo'n dechrau ysgwyd ei focs ac eiriol yn gwynfanus:

'Elusen, Elusen i gripil fel fi.'

Fe ddaeth Pedr ymlaen a dweud wrtho fo am edrych ym myw ei lygaid ac fe ddywedodd wrtho,

'Arian ac aur nid oes gennyf eithr yr hyn sydd gennyf hynny yr wyf yn ei roddi i ti: yn enw Iesu Grist o Nasareth, cyfod a rhodia.' A chan ei gymeryd ef gerfydd ei ddeheulaw, efe a'i cyfododd ef i fyny; ac yn ebrwydd ei draed ef a'i fferau a gadarnhawyd.'

Dyna i chi gyts. Dim math o baratoad: dim sôn am ffydd na dim arall, dim hyn yn oed cyffwrdd â'i gorff, dim ond dweud 'yn enw Iesu Grist o Nasareth, rhodia.'

Mae yna yn y byd heddiw gannoedd a miloedd o Gristionogion sy'n gwneud yr un peth. Maen nhw'n iacháu yn enw Iesu Grist o Nasareth trwy roi eu dwylo ar y claf a gweddïo ar i'r Crist Atgyfodedig roi ei ddwylo Ef dros eu dwylo hwy. Mae miloedd yn cael iachâd trwy ffydd. Crist yn iacháu ac yn defnyddio dwylo ei ddilynwyr.

Ond nid pŵer o fewn yr eglwys ydi'r pŵer yma i iacháu. Rhodd i wahanol unigolion ydi o. Rhywsut, mae'r rhodd o iacháu a roddwyd i'r Eglwys Fore wedi ei cholli, ond mae'n hyfryd gallu dweud fod yr eglwys fodern, trwy'r gwahanol enwadau, yn ceisio ailafael yn y rhodd a'i gwneud hi, unwaith eto, yn rhan o'u litwrgi.

Ond mae Eglwys yr Ysbrydegwyr yn wahanol. Mae iacháu yn rhan hanfodol o'u haddoliad. Fe ddisgwylir i'r gweinidog fod â'r ddawn a'r gallu i iacháu. Ond mae cymaint o wahanol fathau o iachawyr. Mae'r ddau a ddaeth â meddyginiaeth i mi yn wahanol iawn i'w gilydd.

Saesnes o Fae Colwyn ydi Winnie Marshall. Fe

gafodd ei dwyn i fyny mewn Capel Ysbrydegol ac erbyn hyn mae hi'n weinidog efo'r Ysbrydegwyr ac yn cael ei gwadd i gynnal gwasanaethau ar hyd a lled Prydain a'r Cyfandir. Cymro pybyr a Methodist rhonc ydi'r Prifardd Elwyn Roberts o'r Wyddgrug ac mae yntau'n iachawr penigamp.

Mae'r ddau'n dod o gefndir crefyddol a chymdeithasol gwahanol iawn i'w gilydd, ac felly does dim syndod fod eu syniadau nhw am y rhoddion ysbrydol yn bur wahanol. Rhodd sy'n dod i ddyn oddi wrth Dduw neu oddi wrth natur ydi iacháu meddai'r Prifardd. Mae o'n tueddu i gredu fod pawb yn derbyn y rhodd yma. Rhodd ydi hi sy'n cynyddu ac yn cryfhau wrth gael ei defnyddio a'i harfer, ond sy'n marw ac yn crino ym mynwes yr anwybodus.

Fe fyddai Winnie Marshall hefyd yn hawlio mai rhodd oddi wrth Dduw ydi'r gallu i iacháu ond fyddai hi ddim yn cydweld ei bod hi'n rhodd uniongyrchol i bob unigolyn ond, yn hytrach, yn cael ei rhoi drwy arweinwyr neu *guides* o'r ochr draw. Wn i ddim pa un o'r ddau sy'n iawn ond fe wn i'n dda, o brofiad, fod y gallu i iacháu gan y ddau ohonyn nhw, o ble bynnag y daeth o.

Rydw i'n cofio Elwyn a minnau'n hela ysbryd ar noson niwlog, oer ym mis Tachwedd mewn hen dŷ oedd wedi bod yn wag ers dwy flynedd. Roedd y tenantiaid wedi ffoi yng nghrombil nos ar ôl cael eu dychryn, bron hyd at farw, gan fwgan. Fe fyddwn i wedi rhoi unrhyw beth am gael cipolwg ar yr ysbryd y noson honno gan ein bod ni wedi eistedd yno am oriau ar focsys yng ngolau lamp fach nwy calor ar y llawr rhyngon ni. Ar y pryd roeddwn i'n cael trafferth efo fy mhen-glin a'r noson honno roedd wedi chwyddo i ddwywaith ei faint arferol ac yn brifo fel y ddannodd. Er fy mod i wedi bod at y meddyg ac wedi cael tabledi, doedd dim yn tycio. Fe fûm i hefyd at ffisiotherapydd yn yr ysbyty ond roedd y chŵydd a'r boen yn aros.

Y noson honno, yn yr hen dŷ oer hwnnw, roedd yr ysbryd fel pe bai'n chwarae triciau â ni. Un munud roedd o efo ni yn y stafell a'r munud nesaf roedd o wedi'n gadael. Rhyw hen ffŵl o ysbryd, ac roedd fy nghoes innau'n brifo. Dyma ofyn i Elwyn, ar y bocs orennau gyferbyn â mi, oedd yna rywbeth fedrai o'i wneud.

'Pa ben-glin ydi o?' gofynnodd.

Dyma fo'n rhoi ei ddwylo ar fy mhen-glin ac yn gwasgu ac fe allwn i deimlo'r gwres yn dod o'i ddwylo. Roedd y gweddill o'm corff fel pe bai'n marw o oerfel ond roedd fy mhen-glin i'n boeth fel tân. Tri munud o driniaeth ac roeddwn i'n gwybod fod y boen wedi mynd, ac ymhen pythefnos roedd y chŵydd wedi diflannu hefyd. Rydw i'n berffaith sicr nad oedd a wnelo fy iachâd ddim oll â'm ffydd i na ffydd Elwyn. Roedd Elwyn, rhywsut neu'i gilydd, wedi medru anfon pelydrau neu gynyrfiadau o'i gorff ei hun i'm pen-glin afiach i ac roedden nhw wedi lladd beth bynnag oedd yn creu'r anhwylder.

Flwyddyn neu ddwy'n ddiweddarach fe gwrddais â chyfaill oedd yn organydd eglwys ar y Sul ac yn canu'r piano mewn cerddorfa yn ystod yr wythnos. Pan holais sut oedd o, dyma fo'n dweud,

'Rhagorol rŵan, ar ôl cael cyfarfyddiad efo'ch ffrind, Elwyn Roberts.'

Fe aeth ati i ddweud yr hanes. Chwe mis ynghynt roedd o wedi bod dan law nifer o feddygon yn ceisio cael gwellhad i'w benelin. *Tennis elbow* oedd yr anhwylder, medden nhw. Roedd canu'r piano a'r organ yn achosi cymaint o loes iddo nes ei fod wedi gorfod ystyried rhoi'r gorau i'w waith. Yna, un bore Sadwrn, roedd o wedi taro ar Elwyn yn Stryd Mostyn, Llandudno. Roedd Elwyn wedi gofyn sut oedd o, yn union fel roeddwn i wedi gofyn, ac roedd yntau wedi dweud ei fod yn dda iawn oni bai am ei benelin chwith. Ac yno ar y palmant, yn Stryd Mostyn, roedd Elwyn wedi cydio'n dynn yn ei benelin ddrwg. Fe deimlodd y cyfaill wres aruthrol yn ei benelin ac o'r munud hwnnw chafodd o ddim eiliad o boen ynddi.

Ein teimlad ni'n dau oedd fod gan Elwyn ddawn iacháu neilltuol iawn a'r ddawn honno yn rhodd gan Dduw.

Ymhen blynyddoedd wedyn fe fu'n rhaid i mi geisio meddyginiaeth i ran arall o'r hen gorffyn 'ma — gan Winnie Marshall. Mae hithau, fel y soniais eisoes, yn credu mai rhodd oddi wrth y Goruchaf ydi'r ddawn i iacháu ond mae hi'n credu bod y rhodd yn dod i ni ddaearolion trwy gyfrwng arweinwyr neu *guides* o'r byd tu hwnt i'r llen. Yr arweinwyr sy'n rhoi'r wybodaeth am yr afiechyd i Winnie, a'r arweinwyr hefyd sy'n penderfynu faint o'r pelydr sy'n angenrheidiol at bob afiechyd.

Efallai mai iachawr ysbrydegol enwocaf ei oes oedd Harry Edwards ac ym mhumdegau'r ganrif hon roedd bron pawb yn gwybod am ei wyrthiau. Roedd o, nid yn unig yn iacháu'r rhai oedd yn dod i'w glinigau, ond roedd o hefyd yn gallu iacháu rhai oedd yn byw ymhell, rhai nad oedd o erioed wedi'u gweld nhw. Iacháu Absennol oedd yr enw ar hyn ac erbyn diwedd ei oes roedd Harry Edwards yn gwneud llai a llai o waith clinigol ac yn treulio mwy a mwy o amser ar ei liniau yn iacháu cleifion absennol.

Rydw i'n cofio, yr adeg honno, galw i weld hen aelod ffyddlon iawn o'm heglwys yn Nhregarth a hithau'n dweud mor bryderus oedd hi am ferch fach bump oed y dyn llefrith.

'Y beth bach,' meddai, 'mae hi'n bump oed ac er eu bod nhw wedi mynd â hi bob wythnos i Myrtle Street yn Lerpwl, dydi hi erioed wedi medru cerdded cam.'

Roedd hi wedi gofyn i'r dyn llefrith sgrifennu ar ddarn o bapur yr enw meddygol am yr afiechyd ac roedd yr enw hwnnw ganddi o'i blaen.

'Rydw i wedi anfon pwt o lythyr at Harry Edwards,' meddai, 'i ofyn iddo fo gofio amdani.'

Roedd hi'n dweud hyn yn union fel pe bai anfon llythyr at Harry Edwards y peth mwyaf naturiol yn y byd i'w wneud pan fyddai salwch a dim llygedyn o olau'n dod o unman. Yn ddiweddarach yn fy ngweinidogaeth, fe ddois i ddeall ei fod o mewn gwirionedd, yn y cyfnod hwnnw, y peth mwyaf naturiol i'w wneud a bod carfan fawr o bobol yn credu'n angerddol ym mhŵerau Harry Edwards. Rydw i'n sicr y buasai esgobion Pabyddol ac Anglicanaidd y wlad wedi cael braw pe baen nhw'n gwybod faint o'u ffyddloniaid oedd yn sgrifennu'n rheolaidd at Harry Edwards i ofyn am ei weddïau ac am iachâd i'r absennol. Fe wn i am nifer dda a gafodd iachâd ac mae merch fach y dyn llefrith heddiw yn fam heini i dri ac yn nain i chwech.

Roedd Harry Edwards yn honni i'r diwedd mai ei arweinwyr, Dr Lister a Dr Pasteur, oedd yn rhoi'r feddyginiaeth trwyddo fo. Felly, os oedd y meddyg yn dod o'r tu hwnt i'r llen doedd dim ots ymhle roedd y claf yn byw. Roedd cyn hawsed i'r meddyg o'r anweledig gysylltu â chlaf bach yn Nhregarth ag oedd cysylltu â chlaf mewn clinig yn Llundain.

Tua'r amser hwnnw roedd gen i hen ffrind, offeiriad o Eglwys Loegr, oedd yn gwasanaethu fel iachawr yn Stryd Harley, Llundain, ac rydw i'n ei gofio fo'n dweud,

'Mae'r hen Harry yn iachawr heb ei ail, ond O, mi fuaswn i'n falch pe bai o'n rhoi'r gorau i'r hen lol 'ma mai Lister a Pasteur sy'n gweithio trwyddo fo.'

Wrth gwrs, fel ysbrydegwraig, mae Winnie Marshall yn credu'r un fath â Harry Edwards; trwy ei *guides* y mae hithau'n iacháu. Os ydi dyn angen meddyginiaeth, ac os ydi'r ffisig yn dileu'r boen, dydi'r claf ddim yn aros i ddadlau pa siâp ydi'r botel!

Y llynedd roeddwn i wedi trefnu i fynd am bythefnos o gerdded yng Ngwlad Groeg. Ddeg wythnos union cyn cychwyn dyma fi'n codi o'm gwely un bore, taro fy nhroed ar y llawr a chael ergyd o boen dychrynllyd yn fy sawdl dde. Fedrwn i ddim meddwl rhoi fy nhroed ar lawr drwy'r dydd ac ar ôl trio'r peth yma a'r peth arall dyma fynd at y meddyg. Gan fod y gwyliau mor agos fe gefais fynd i weld arbenigwr. Fe ddywedodd hwnnw mai nerf oedd wedi'i thrapio yn fy sawdl ac nad oedd o ddim yn beth difrifol iawn. Fe fyddai chwistrelliad o gortison yn ei wella ond gan fod hwnnw'n beth eithaf poenus a chan fod gen i rai wythnosau eto tan fy ngwyliau roedd o'n argymell imi fynd am gwrs o ffisiotherapi yn gyntaf. Fe fûm i'n ymweld â'r clinig ddwywaith yr wythnos am y chwe wythnos nesaf ond heb unrhyw wellhad. Felly, dyma fi'n ôl at yr arbenigwr ddeg diwrnod cyn y gwyliau.

'Daliwch 'i goes o, nyrs,' meddai'r arbenigwr gan gymryd chwistrell fel hoelen wyth modfedd, yn llawn o gortison, a'i phlannu i mewn yn fy sawdl.

'Fe fydd hwnna'n boenus i chi heddiw a fory, ond erbyn drennydd fe fyddwch chi'n gallu rhedeg i ben yr Wyddfa!'

Doeddwn i ddim. O fewn tridiau i gychwyn ar fy ngwyliau doedd y boen ddim tamaid gwell a dyma fi'n neidio i'r car ac i ffwrdd â fi i dŷ Winnie Marshall ym Mae Colwyn. Trwy drugaredd, roedd hi gartref ac fe ddywedais fy nghŵyn wrthi.

Doedd arni hi ddim eisiau gwybod beth oedd barn yr arbenigwr. Fe dynnais fy esgid ac eistedd ar y soffa ac fe gymerodd Winnie fy nhroed yn ei dwylo a dechrau rhwbio'r dolur. Y gamp oedd fy nghael i i ymlacio gan fod fy nhroed i'n stiff fel talp o rew, meddai hi. Wedi tua deng munud o rwbio a phwnio, rhwbio a phwnio, roeddwn i'n teimlo fy sawdl yn well o lawer. Sut bynnag, roedd Winnie'n edrych yn siomedig braidd. Ac meddai hi, 'Dim ond llacio'r gewynnau rydw i wedi'i wneud hyd yn hyn. Dydw i ddim wedi rhoi iachâd eto.'

Ar hyn dyma hi'n cymryd fy nhroed yn ei dwy law ac yn dechrau siglo yn ei chadair gan hymian pwt o gân. Yn ôl a blaen, yn ôl a blaen, nes bron fy suo i gysgu.

Roedd yr hen sawdl yn teimlo'n gynnes braf. Yna, yn sydyn, dyma hi'n gollwng fy nhroed.

'Dyna chi,' meddai hi, 'chewch chi ddim trafferth efo'r sawdl yna eto.' Fe wyddai Winnie fod yna iachâd wedi mynd ohoni. Dyma roi fy nhroed yn ysgafn ar y carped ac yna rhoi fy mhwysau arni yn ofnus braidd, rhag ofn.

'Cerddwch, ddyn!' meddai Winnie. 'Cerddwch, da chi!'

Ac fe gerddais. Ychydig ddyddiau wedyn roeddwn yn cerdded milltiroedd i fyny ac i lawr mynyddoedd Groeg ac mae'r hen sawdl wedi bod efo mi ar ben Carnedd Dafydd, Carnedd Llywelyn, y Siabod a'r Wyddfa droeon ar ôl hynny heb boen o fath yn y byd.

Y bobol nad ydyn nhw erioed wedi gweld ysbryd ydi'r rhai sy'n meddwl mai hen lol ydi'r cwbwl i gyd. A'r bobol nad ydyn nhw erioed wedi manteisio ar dalent yr iachawr ydi'r rhai mwyaf pendant mai tric ydi'r cwbwl.

Fe gefais i fy iacháu gan ddau wahanol iawn eu cred. Wn i ddim oeddwn i'n ddigywilydd ai peidio, gan fod rhai iachawyr yn wfftio at drin coes neu ben neu droed. Mae'r rhain yn dweud mai'r peth pwysig ydi, nid lladd y boen yn y rhan yma neu'r rhan arall o'r corff, ond yn hytrach gwneud y dyn yn ddyn cyflawn, gorff ac enaid; rhoddi iach fodolaeth i'r holl ddyn; *'a sense of well-being for the whole man'* ys dywed y Sais. Doeddwn i ddim yn sicr o'r gwahaniaeth nes i mi anfon hen gyfaill i mi, Tom Owen, i'w iacháu at ffrindiau i mi.

Fe ddywedwyd wrth Tom gan y meddygon nad oedd ganddo fo ond tri mis ar y mwyaf i fyw. Roedd ei gorff o wedi'i wenwyno â chancr. Doedd dim iachâd iddo fo, ac fe wyddai Tom hynny, ond fe aeth i bob gwasanaeth iacháu a gynhaliwyd yn eglwys fach yr Ysbrydegwyr. Fe gyfoethogwyd ei fywyd a'i ffydd yng nghyfarfodydd y cyfeillion caredig yma. Fe fu Tom farw'n dawel a marw'n hapus, hapus hefyd. Mae'n debyg y gallech chi ddweud fod Tom wedi medru marw'n 'ddyn cyflawn'.

Yr un peth ddigwyddodd pan fu un o'm plwyfolion i farw o gancr yn 47 oed. Roedd hi'n cael ei gwthio mewn cadair olwyn i'r cyfarfodydd iacháu yn ystod ei hwythnosau olaf gan nad oedd arni eisiau colli'r un ohonyn nhw. Fe gafodd farw'n hyfryd meddai ei gŵr wrtha i wedyn.

Fe ddywed pob un o'r iachawyr yma fod y dalent wedi'i rhoi i bob un ohonon ni. Maen nhw'n honni y medrwn i hefyd, pe tae'r plwc gen i, sefyll wrth y Porth Prydferth a dweud fel Sant Pedr:

'Arian ac aur nid oes gennyf ond yr hyn sydd gennyf, hynny a roddaf i ti. Yn enw Iesu Grist o Nasareth, cyfod a rhodia.'

Rydw i wedi cael fy nhemtio lawer tro i roi cynnig arni.

Dewino Dŵr

Eureka! Eureka! Dydw i ddim mor seicigyddol dwp ag y tybiwn i. Wythnosau yn unig cyn anfon fy llyfr i'r cyhoeddwyr dyma fi'n darganfod fy mod i'n gallu dewino dŵr!

Roeddwn i wedi bod yn holi ac yn chwilio am rywun yn rhywle allai arddangos i mi'r ddawn o ddowsio neu ddewino dŵr. Hen gyfaill i mi, Ken Ellis, ddaeth i'r bwlch. Fe ddywedodd fod ganddo fo fugail, sawl blwyddyn yn ôl pan oedd o'n ffermio'r Wig, a allai ddewino dŵr. Os byddai cae'n wlyb, y cyfan oedd ei angen oedd i Richard Owen ei gerdded efo'i bren collen ac fe allai ddweud pa draen oedd wedi cau ac ymhle. Fe fydden nhw'n mynd ati wedyn i durio yn yr union fan, trwsio'r draen ac fe fyddai'r cae'n sychu. Y trwbwl oedd fod Richard Owen bellach yn ŵr yn ei wythdegau ac wedi ymddeol ers blynyddoedd i fyw yn rhywle yn Sir Fôn. Ond fe ddois o hyd iddo fo yn y Gaerwen, yn dal i weithio rhan amser i'w ffrindiau yma ac acw. Fe euthum i'w weld un noson a gofyn iddo fo fyddai o'n fodlon dysgu'r grefft imi.

'Dim problem o gwbwl,' meddai'r hen frawd. Dim ond imi fynd â brigyn o gollen wedi'i dorri ar ffurf y llythyren 'Y' ato fo drannoeth ac fe fyddai'n bleser ganddo fy nysgu i.

Drannoeth fe aeth Ken Ellis a minnau i Barc y

Penrhyn i dorri brigau cyll — dwsinau ohonyn nhw, rhai tew a rhai tenau. Yn y pnawn dyma gychwyn am y Gaerwen, lle'r oedd yr hen fachgen yn disgwyl amdana i. Roedd o'n gwenu wrth weld y car bron yn llawn o frigau.

'Dowch y ffordd yma,' meddai. 'Rydw i'n gwybod fod yna ddŵr yn y fan yma.'

Fe gymerodd un o'r brigau, un aden ym mhob llaw, a'r pig yn sticio allan, a cherdded rhyw lathen neu ddwy ymlaen. Yn sydyn dyma goes y pren cyll yn codi efo nerth fel cic mul, nes tynnu gwaed o gledr ei law ac yn wir, fe fu bron i'r hen fugail gael ei daflu ar ei ben-ôl i'r mwd gan nerth y gic.

Wrth gwrs, roedd rhaid i'r gŵr clyfar o Landegai gael tro wedyn. Sefyll yn union lle roedd Richard wedi sefyll, dal y pren cyll yn dynn yn fy nwy law — dim byd, affliw o ddim. Richard wedyn yn rhoi'i freichiau am fy nghanol a'i ddwylo dros fy nwylo i ond doedd dim yn tycio.

Richard Owen a minnau wedyn yn cerdded drwy'r caeau a'r hen ŵr bron â chael ei luchio i'r awyr bob tro y dôi at ddŵr cudd. Tybed oes yna beiriant yn rhywle all fesur y nerth rhyfeddol yma?

Doedd gan Richard Owen ddim syniad am egwyddor y peth na sut roedd o'n gweithio, dim ond bod y pren yn troi bob tro roedd dŵr yn ymyl.

Roedd Richard yn hanner cant oed cyn iddo fo hyd yn oed weld neb yn dewino dŵr. Cyn symud i'r Wig roedd o'n gweithio ar fferm arall lle roedd dŵr yn brin ac fe fyddai wedi costio ffortiwn i'r meistr bibellu dŵr i'r caeau. Felly, fe gyflogodd ddewin dŵr i chwilota am ffynnon neu ddwy ac fe anfonwyd Richard i edrych ar ôl y gŵr bonheddig. Fe ddaethon nhw o hyd i ddau darddiad dŵr yn weddol sydyn a'r rheini heb fod yn rhy isel yn y ddaear.

Yn y pnawn, tra oedd y dynion yn tyllu am y ffynhonnau fe gynigiodd y dewin y brigyn i Richard. Pan safodd o uwchben safle'r dŵr fe blygodd y ffon hyd at dorri yn ei law yntau ac, yn ôl y dewin dŵr, roedd pŵer Richard yn gryfach o lawer na'i bŵer o. O'r diwrnod hwnnw ymlaen roedd Richard Owen yn ystyried ei grefft newydd o ddarganfod dŵr efo pren cyll yn un o fanteision mawr ei yrfa fel gweithiwr ar y tir. Er hynny, doedd ganddo fo ddim syniad sut roedd y peth yn gweithio.

Roeddwn i'n reit ddigalon fy mod i wedi methu â chael y pren i weithio i mi ac ar ôl te fe gerddais i'r hen gae bach dros y ffordd — Cae Person. Dyma gydio'n dynn yn y brigyn collen unwaith yn rhagor ond doedd dim yn digwydd. Mae'n rhaid bod Emyr Hughes, perchennog y tir, wedi 'ngweld i a dyma fo'n dod ata i ar ei dractor.

'Ffeindiwch chi byth ddŵr efo hen sothach fel 'na,' meddai o, gan bwyntio at fy mrigyn collen tlawd.

'Dyma'r peth ichi,' meddai, gan dynnu dwy weiren drwchus wedi eu plygu ar ffurf y llythyren 'L' o'r tu ôl i sedd y tractor. Roedd y darn hir tua throedfedd o hyd a'r bagal tua thair modfedd. Fe gymerodd wifren ym mhob llaw gan eu dal fel cowboi efo dau wn.

'Dowch,' meddai Emyr, 'mae pibellau dŵr y Ficerdy yn rhedeg yn fan hyn yn rhywle.' Cyn pen dim roedd y ddwy wifren yn croesi'i gilydd. Cerdded yn ôl ac ymlaen wedyn a'r gwifrau'n croesi bob tro roedd Emyr Hughes yn croesi pibell ddŵr y Ficerdy.

Dyma roi'r gwifrau i mi.

'Daliwch nhw'n syth o'ch blaen,' meddai Emyr, 'a chofiwch nad y gwifrau sy'n dod o hyd i ddŵr ond eich corff neu'ch meddwl chi. Daliwch y gwifrau a cherddwch fel dyn sydd â'i fryd ar ddarganfod dŵr.'

Roedd hyn yn syniad newydd sbon i mi ac wrth gwrs roedd Emyr yn iawn. Dim ond ffŵl fuasai'n disgwyl i damaid o frigyn neu ddau lwmp o fetel synhwyro dŵr droedfeddi i lawr yn y ddaear.

Dyma gychwyn rŵan, a'r ddwy wifren yn pwyntio'n syth, led braich i ffwrdd, ond fel roeddwn i'n dod at leoliad dŵr roedd y ddwy'n dechrau croesi'n daclus. Symud wedyn i'r briffordd a'u dal uwchben y gwter ddŵr. 'Clinc, clinc,' meddai'r gwifrau wrth groesi unwaith eto. I gowt y Ficerdy wedyn a'r gwifrau'n croesi'n ffyrnig lle roedd y pibellau dŵr yn mynd i mewn i'r tŷ.

Dyma arddangos fy nghrefft i'r wraig a'r mab a gadael iddyn nhw roi cynnig arni, ac wrth gwrs roedd y gwifrau'n troi bob tro yn eu dwylo hwythau hefyd.

Yn ystod y dyddiau nesaf roedd pawb a ddôi i'r Ficerdy'n cael gwahoddiad i ddal y gwifrau, ac allan o'r tri ar ddeg roddodd gynnig arni, fe fu deuddeg yn llwyddiannus.

Pan adroddais i'r hanes wrth fy ffrindiau seicic eu hymateb oedd,

'O, dowsio ydach chi'n feddwl? Roedden ni'n meddwl mai chwilio am ddewinwr dŵr oeddech chi.'

Fe gefais yr argraff fod fy nghyfeillion seicig yn edrych

i lawr eu trwynau braidd ar yr hen Richard Owen a'i debyg. Maen nhw'n dal allan nad oes unrhyw fantais i ffermwr na neb arall wybod fod dŵr yn rhywle dan ei draed heb wybod hefyd pa mor ddwfn ydi'r dŵr a faint ohono sydd ar gael. Gwifrau ac nid brigau, medden nhw, oedd gan y dowsiwrs go iawn.

Roeddwn i'n hoffi'r dywediad yna — 'y dowsiwrs go iawn' — am y rhai oedd yn defnyddio gwifrau, oherwydd roedd hyn rŵan yn fy rhoi i ymhlith y proffwydi. Fe ddeallais wedyn fod dowswyr go iawn, wrth fesur ongl y gwifrau croes, a thrwy ddefnyddio tablau mathemategol, yn gallu dweud beth oedd dyfnder y dŵr a hefyd sawl galwyn y funud oedd y rhediad.

Un o ddowswyr mwyaf blaenllaw Gogledd Cymru oedd y diweddar Barchedig Dad John Rudd, a fu yn ei dro yn offeiriad Pabyddol yng Nghaernarfon a'r Bala, ac roedd o, cyn belled ag y gwn i, yn un o'r rhai cyntaf yn ein hardal ni i arbrofi gyda'r pŵer rhyfedd yma. Fe ddaeth o hyd i ffynnon yn tarddu o dan stafell fyw ei gartref yng Nghaernarfon. O ddal y gwifrau uwchben llawr y gegin fe welodd eu bod yn croesi ar ongl o 120°, ond o'u dal ar lawr y llofft, oedd ddeg troedfedd yn uwch, 80° oedd yr ongl. Y Tad Rudd oedd un o'r rhai cyntaf i lunio tabl mathemategol i ddarganfod dyfnder y dŵr oedd yn peri i'r gwifrau groesi. Roedd yn amlwg i mi hefyd nad oedd dowswyr profiadol yn ymwneud rhyw lawer â dŵr bellach. Roedden nhw'n gadael hynny i Richard Owen a chriw'r coed cyll tra defnyddien nhw eu talentau i ddatrys problemau newydd.

Fe lwyddodd y Tad Rudd i addasu ei dalent i

ddarganfod pob math o bethau. Fe ofynnai i'w ffrindiau fynd allan ar fin nos a chuddio sebon, menyn neu siwgwr yn y cloddiau a'r gwrychoedd ymhell o'i gartref, yna fe âi yntau allan efo gwifrau neu bendil a'u darganfod yn union fel ag y mae cŵn heddiw yn gallu synhwyro cyffuriau neu ffrwydron.

Mae'n hawdd deall fod modd dysgu anifeiliaid i ddod o hyd i bethau fel hyn ond roeddwn i'n methu â derbyn y syniad fod dwy wifren neu ddarn o risial ar linyn yn gallu gwneud yr un peth. Ond wrth gwrs, fel y dywedodd Emyr, dim ond arwydd allanol o rym y meddwl dynol ydi'r gwifrau. Felly, os mai'r meddwl dynol sy'n rheoli, mae cyn hawsed i'r gwifrau groesi uwchben darn o gaws â chroesi uwchben pwll o ddŵr.

Mae'n rhaid i mi adrodd hanes Tom Jenkins yn rhoi goriadau ei gar i mi a'm herio i'w cuddio nhw yn ei ardd. Roedd o'n honni y byddai'n dod o hyd iddyn nhw cyn pen pum munud. Fe'u cuddiais nhw ynghanol tusw trwchus o eiddew oedd yn tyfu ar fonyn hen goeden afalau. Pan ddaeth Tom allan efo'i wifrau dyma fo'n anelu'n syth am y goeden afalau, plannu ei law ynghanol yr eiddew a chodi'r goriadau ar ei union.

Peth sy'n llawer anos ei ddeall ydi sut mae rhai pobol yn medru dowsio mapiau efo pendil. Fe ddywedodd un dowsiwr mapiau beth fel hyn wrtha i,

'Fe gafodd car y mab, sy'n byw ym Manceinion, ei ddwyn, a dyma fo'n ffonio adre ata i i ddweud fod yr heddlu eisiau papurau'r car gan ofyn imi eu postio nhw iddo fo.'

Cyn postio, roedd y tad wedi rhoi'r papurau ar fwrdd y gegin ynghyd â map ordnans o ddinas Manceinion ac yna wedi gadael i'r pendil siglo ar hyd ac ar led y map. Fe roddodd nodyn i mewn efo'r papurau yn awgrymu bod yr heddlu'n chwilio am y car ar ryw groesffordd arbennig ar lôn Altrincham.

'Ddaethon nhw o hyd i'r car?' gofynnais.

'Do,' meddai yntau.

'Oeddech chi'n iawn?' gofynnais eto.

'Na, roeddwn i hanner milltir allan ohoni,' meddai.

Ar ôl cael y fraint o ddarllen nodiadau John Rudd y dechreuais i ddeall pam roedd fy ffrindiau ysbrydegol i gyd yn honni'r un peth ac yn dweud o hyd,

'Mae gan bawb y gallu i iacháu.'

'Fe all pawb ddweud ffortiwn.'

'Fe all pawb ddewino dŵr.'

Roeddwn i wedi blino gwrando arnyn nhw'n dweud hyn o hyd ac o hyd ac roedd arna i awydd eu hateb,

'Wel, siarad ti drosot dy hun, boi bach.'

Nodiadau John Rudd roddodd y syniad i mi fod y talentau yma i gyd wedi eu plannu yn yr ora *(aura)* sy'n amgylchynu corff pob un ohonon ni. Bron na fedra i glywed ambell ddarllenydd yn dweud,

'Wel siarad titha drosot dy hun. Does yna ddim ora yn amgylchynu fy nghorff i.'

Ond oes, mae yna. Sefwch y tu allan i'r car a gwthiwch erial y radio i lawr fel nad oes dim ond rhyw bwt yn y golwg. Trowch y radio ymlaen ac fe fydd y sŵn yn ddistaw am fod yr erial i lawr. Cydiwch wedyn yn y pwt erial ac fe fydd y sŵn yn cryfhau am fod eich corff chi'n troi yn erial. Symudwch eich llaw yn ara' bach at yr erial ac fe welwch nad oes raid ichi gyffwrdd ynddi i gryfhau'r sŵn. Pan fyddwch chi dair neu bedair modfedd i ffwrdd fe fydd sŵn y radio'n cryfhau. Dyna ydi trwch yr ora sy'n amgylchynu eich corff chi. Dydi o ddim yn digwydd i mi nes bydd fy llaw o fewn tua modfedd i'r erial ond rydw i'n siŵr y gallai Winnie Marshall neu Elwyn gryfhau'r sŵn gryn droedfedd i ffwrdd.

Mae'r gwybodusion yn dweud mai'r ora sy'n galluogi rhai pobol i gyflawni llawer o bethau anodd i ni eu deall, a bod yr ora wedi ei wneud o sawl haen ar ben haen a bod i bob haen ei lliw ei hun. Does arna i ddim cywilydd cyfaddef nad ydw i'n gwybod y nesaf peth i ddim am y busnes yma.

Ar y llaw arall, does dim rhaid i mi chwarae efo erial y car i wybod am yr ora. Lawer gwaith wrth eistedd mewn stafell rhwng dau olau, yn disgwyl i ysbryd go swil ymddangos, rydw i wedi gweld ora gwyn yn amgylchynu corff Elwyn fy nghyfaill. Does a wnelo'r ora ddim oll â sancteiddrwydd na dim o'r fath ond mae o'n rhan ohonon ni i gyd fel ag y mae'r meddwl yn rhan ohonon ni ac mae o'n rhywbeth y dylid ei ddefnyddio. Rydyn ni i gyd wrthi'n ceisio diwygio ac ymarfer y corff a'r meddwl ond mae'r rhan fwyaf ohonon ni'n esgeuluso'r ora.

Cyn diweddu'r bennod yma, mae'n rhaid i mi gael dweud hyn am y bobol sy'n defnyddio pendil i ddowsio. Mae unrhyw fath o bendil yn gwneud y tro — nodwydd ddur ar damaid o edau neu hen hoelen wedi rhydu yn sownd wrth ddarn o linyn. Ond grisial ar linyn sidan sydd gan y rhai sydd o ddifri. Mae'r grisial yn cael ei gadw mewn bag lledr bychan yn nesaf at y corff fel ei fod bob amser o'r un tymheredd â'r corff. Fel hyn mae yna ryw berthynas rhwng dyn a'i risial. Fe synnech chi'r wybodaeth ryfedd mae'r bobol yma'n gael trwy droelli eu grisialau.

Pan ddaw fy mhen-blwydd fyddwn i ddim yn gwrthod grisial a throedfedd o edau sidan a phwrs lledr bychan i'w cadw'n ddiogel.

Sis Jones

Mae dros ddeugain mlynedd bellach ers pan ddaeth y tri blaenor o gapel yr Ysbrydegwyr ym Mangor i'm gweld a dweud,

'Efallai, frawd, yr hoffech chi ymuno â ni mewn *seans* er mwyn i chi gael gwell syniad am y math o waith rydyn ni'n ei wneud.'

Roedden nhw wedi codi cymaint o ofn arna i'r noson honno nes i mi ruthro i weld fy hen ffrind, Ifan O yn y BBC, a chyngor hwnnw oedd: peidio â mynd yn agos atyn nhw.

'Fe fydd y criw yna wedi weirio'r lle i fyny ac fe fyddan nhw wedi dy ddychryn di i farwolaeth,' meddai Ifan O.

Wel, mynd wnes i a chefais i mo 'nychryn o gwbwl. Rydw i wedi cael y bobol yma, sy'n derbyn negeseuon o du hwnt i'r bedd, yn bobol garedig ac yn naturiol gyfeillgar. Dydw i ddim yn sôn yn unig am y *mediums* hynny sy'n aelodau o'r Eglwys Ysbrydegol ond y rhai sydd hefyd yn Anglicanwyr ac yn Fethodistiaid, ac eraill nad ydyn nhw ddim yn aelodau o unrhyw eglwys o gwbwl. Rydw i wedi dod i'r casgliad nad ydi'r gallu yma ddim ond yn cael ei roi i bobol swil ac addfwyn. Yn sicr, mae bod yng nghwmni'r rhain wedi cryfhau fy ffydd i. Roeddwn i bob amser yn credu yn yr Atgyfodiad ond rŵan rydw i'n gwybod heb unrhyw amheuaeth ein bod ni'n gadael ein cyrff daearol yma ar y ddaear ac yn mynd ymlaen i ymgyrraedd at berffeithrwydd mewn corff sydd wedi'i addasu i'r byd ysbrydol. O'r blaen, credu yn yr Atgyfodiad oeddwn i; bellach rydw i'n gwybod.

Trueni na wnaeth Esgob Durham, pan oedd o'n ddyn ifanc a chyn iddo fo ddod yn sgolor mawr, bregethu fel y gwnes i yn yr Eglwys Gadeiriol sawl blwyddyn yn ôl. Pe bai o wedi dilorni'r rhai oedd yn ceisio codi congl y llen a chael cipolwg ar y byd tu hwnt, neu wedi condemnio'r rhai oedd yn peryglu ffydd y brodyr gweiniaid fel y gwnes i, efallai y buasai yntau hefyd wedi cael ymweliad swyddogol gan dri blaenor o'i Eglwys Ysbrydegol leol yntau.

Bellach mae'r esgob druan yn pregethu bob Pasg yng nghadeirlan Durham neu yng nghadeirlan rhywun arall, a chyn i'r creadur gael dweud 'Amen' ar ddiwedd ei bregeth, mae bytheiaid y wasg yn rhuthro allan i gyhoeddi i'r byd nad ydi Esgob Durham ddim yn credu yn yr Atgyfodiad.

Wrth gwrs fod Esgob Durham yn credu yn yr Atgyfodiad neu fuasai o ddim yn esgob. Mae ei neges ar ddydd y Pasg yr un neges yn union ag un holl Gristionogion y byd,

'Crist a gyfodwyd oddi wrth y meirw. Aleliwia.'

Ond mae Esgob Durham yn ddiwinydd ac mae ganddo fo feddwl chwim a ffraeth a does yna ddim amheuaeth o gwbwl nad ydi'r bedd gwag yn creu penbleth iddo fo. Dyma rywbeth na all ei feddwl disgybledig mo'i ddeall. Mae'r Efengylau'n sôn fel y bu i'r Iesu gael ei groeshoelio a'i gladdu, a'r trydydd dydd ar ôl ei farwolaeth fe ddaeth y gwragedd at y bedd. Fe fuasai'r esgob wedi disgwyl, mewn gwlad boeth, iddyn nhw fod wedi dod o hyd i gorff oedd yn dechrau pydru a drewi; hyn am fod yr Iesu eisoes wedi atgyfodi yn ei gorff ysbrydol ac wedi gadael ar ei ôl yn y bedd yr hen gorff daearol fu ganddo fo am 33 o flynyddoedd. Ond nid felly roedd pethau. Mae'r efengylwyr fel pe baen nhw'n ymfalchïo yn y ffaith fod Crist wedi atgyfodi yn ei gorff daearol croeshoeliedig ac nid yn ei gorff ysbrydol.

Corff daearol oedd ganddo fo ar ôl yr atgyfodiad. Roedd creithiau'r hoelion i'w gweld ar ei ddwylo pan oedd o'n torri'r bara yn y tŷ yn Emaus. Fe gafodd Thomas wahoddiad i roi ei law yn ôl y bicell ar ei ystlys. Roedd Crist yn ei gorff atgyfodedig yn bwyta bara a physgod ar lan y môr efo'i ddisgyblion. Mae'n siŵr gen i fod meddwl gloyw'r Esgob yn methu â chysoni'r pethau hyn. Os mai, 'Crist yw blaenffrwyth y rhai a gyfodwyd oddi wrth y meirw,' pam felly, meddai'r Esgob, y bu i Dduw wneud ei atgyfodiad mor wahanol i atgyfodiad pawb arall. Rydyn ni, y gweddill ohonon ni, yn gwybod fod ein cyrff gwael ni ar ôl marwolaeth yn gorfod cael eu claddu neu eu difa. Mae'r hen gorffyn wedi darfod ei waith pan ddaw'r alwad i ni groesi'r Iorddonen. Dim ond yr enaid, neu'r ego, neu'r meddwl, neu'r bersonoliaeth sy'n croesi ac yn symud ymlaen i baradwys wedi'i wisgo yn ei gorff ysbrydol.

Rydw i'n siŵr na fyddai'r Esgob yn malio yr un botwm corn pe bai o'n dod i wybod fod y Parchedig Aelwyn Roberts, cyn-ficer Llandegai, yn teimlo yr un mor anghyfforddus ag yntau wrth ddarllen am y bedd gwag. Mae'n debyg ein bod ni i gyd, o dro i dro, yn cael y teimlad, pe baen ni, ac nid y FO, yn cael trefnu'r bydysawd, fe fydden ni'n trefnu dipyn yn wahanol. Pe buaswn i, er enghraifft, wedi bod yn gyfrifol am drefnu'r atgyfodiad fe fuaswn i wedi gadael i'r gwragedd ddod o hyd i'r corff daearol yn y bedd yng ngardd Gethsemane, ac fe fuaswn i wedi gadael i'r disgyblion ddod wedyn a rowlio'r maen mawr yn ôl ar draws ceg y bedd. Yna, ar Sul yr Atgyfodiad fe fuasai'r disgyblion wedi cael gweld yr Iesu Atgyfodedig yn ei gorff ysbrydol newydd. Rydw i'n credu y buasai Esgob Durham wedi hoffi'r math yna o atgyfodiad hefyd.

Ers canrifoedd bellach mae'r eglwysi wedi troi clust fyddar i ddiffiniad bendigedig Sant Paul o'r atgyfodiad.

'Eithr fe a ddywed rhyw un, Pa fodd y cyfodir y meirw, ac â pha ryw gorff y deuant?

O ynfyd, y peth yr wyt ti yn ei hau, ni fywheir oni bydd efe marw . . .

Y mae hefyd gyrff nefol, a chyrff daearol . . .

Felly hefyd y mae atgyfodiad y meirw . . . efe a heuir yn gorff anianol ac a gyfodir yn gorff ysbrydol.

Y mae corff anianol ac y mae corff ysbrydol.'

Ers canrifoedd mae'r Eglwys Anglicanaidd wedi rhoi'r traethawd cyfoethog yma gan Sant Paul yn llith i'w darllen mewn angladdau. Dyma'r bennod gladdu. Ond ar ôl y claddu mae'r Eglwys yn llithro'n ôl yn ddistaw bach i ddysgeidiaeth bedd gwag yr Efengylau.

Rhaid cofio hefyd fod Esgob Durham a chyn-ficer Llandegai wedi cael eu dysgu, o'u plentyndod, i adrodd yng ngwasanaethau'r Eglwys y tri chredo y mae'r Anglicaniaid, y Pabyddion a'r Eglwys Uniongred yn eu dal fel sylfaen eu ffydd.

Yng Nghredo'r Apostolion sy'n cael ei adrodd bob Sul rydyn ni'n dweud,

'Credaf yn Nuw Dad Hollgyfoethog . . . yn Iesu Grist . . . yn yr Ysbryd Glân . . . ac yn *atgyfodiad y cnawd.*'

Ar lawer achlysur arall fe fyddwn i'n adrodd yn yr eglwys Gredo Sant Athanasiws, sy'n dweud,

'A chredaf yn Iesu Grist . . . a esgynnodd i'r nefoedd ac y mae yn eistedd ar ddeheulaw'r Tad. Oddi yno daw i farnu'r byw a'r meirw. Ar ei ddyfodiad y *cyfyd pawb yn eu cyrff eu hunain* a rhoddi cyfri am eu gweithredoedd eu hunain.'

Ac mae Esgob Durham a finnau'n ddigon hen i allu cofio canu emyn 575 allan o'r llyfr *Hymns Ancient and Modern*:

Within the churchyard, side by side,
Are many long low graves;
And some have stones set over them,
On some the green grass waves.

Full many a little Christian child,
Woman, and man, lies there;
And we pass near them every time
When we go in to prayer.

They do not hear when the great bell
Is ringing overhead;
They cannot rise and come to Church
With us, for they are dead.

But we believe a day shall come
  When all the dead will rise,
When they who sleep down in the grave
  Will ope again their eyes.

For Christ our Lord was buried once,
  He died and rose again,
He conque'd death, He left the grave;
  And so will Christian men.

Mrs Alexander

Rydw i'n cofio, pan oeddwn i'n hogyn ym Mlaenau Ffestiniog, os byddai dyn wedi colli ei goes, ei fraich neu hyd yn oed ei fys mewn damwain chwarel, fe roddid yr aelod hwnnw o'i gorff yn barchus mewn casged bychan a'i gladdu'n ofalus mewn cornel wedi'i neilltuo yn y fynwent. Roedd y fan a'r lle'n cael ei farcio'n ofalus. Wedyn, flynyddoedd yn ddiweddarach, pan fyddai William Dafis neu Richard Jones farw o henaint fe gleddid eu cyrff yn yr un fynwent, lle roedd y fraich, y goes neu'r bys yn disgwyl amdanyn nhw. Diben hyn oedd gwneud yn berffaith siŵr pan ganai'r utgorn mawr y gallai William Dafis a Richard Jones sefyll i fyny'n gyflawn gerbron eu Creawdwr. Dydw i ddim yn meddwl fod yna un offeiriad na gweinidog oedd yn pregethu atgyfodiad y cnawd yn y cyfnod hwnnw ond, ar y llaw arall, prin oedd y diwinyddion oedd yn barod i gyhoeddi ei bod hi'n dominô ar yr hen gorffyn daearol cyn gynted ag y byddai o wedi cau ei lygaid am y tro olaf.

Felly, fel Esgob Durham, ond flynyddoedd lawer o'i flaen, fe geisiais innau nofio yn erbyn y lli a herio dogma atgyfodiad y corff y diwinyddion. Ond ddaru mi ddim gwneud hynny trwy gyfrwng y radio na theledu na thrwy'r papurau newydd fel y gwnaeth yr Esgob druan.

Fe awgrymais i'r peth i fy ail gynulleidfa yn Llandegai. Mae gen i ddwy gynulleidfa wedi bod yn Llandegai ers llawer blwyddyn — y gynulleidfa o *Gorgios* sy'n addoli efo mi o Sul i Sul, a chynulleidfa o sipsiwn sy'n dod ar adeg priodas, bedydd ac angladd. Mae fy ail gynulleidfa yn bobol eithaf duwiol ac yn drwyadl eciwmenaidd. Maen nhw'n eistedd i ddweud eu pader, pob un gyda'i ben yn ei law dde, yr un fath â'r Anghydffurfwyr ac yna ar ôl y weddi, maen nhw'n gwneud cystal arwydd y groes â'r Pab ei hun.

Os oes angen bendithio carafán maen nhw'n credu mai'r un gorau i wneud y gwaith ydi'r Tad Protestannaidd. Fe fûm i am amser maith yn methu â deall y rheswm am hyn, nes i un ohonyn nhw ddweud fy mod i'n defnyddio llawer mwy o ddŵr sanctaidd i wneud y job nag oedd Person Pab! Mae pethau bach fel yna yn fy mhlesio i!

Mae'n syndod i mi gymaint ydi gwybodaeth y sipsi am ddysgeidiaeth yr eglwys. Gwybodaeth, mae'n debyg, sydd wedi cael ei throsglwyddo i lawr o fam i blentyn. Yr unig ddrwg ydi bod y ddysgeidiaeth yma o leiaf hanner can mlynedd ar ôl yr oes. Mae'r sipsi'n credu'n gryf yn atgyfodiad y corff. Mae marwolaeth a'r byd tu hwnt i'r llen yn ddirgelwch anghyfforddus i'r sipsi. Maen nhw i gyd yn ofni marwolaeth ac fe fydd cyffro mawr yn y gwersyll bob tro y bydd un ohonyn nhw'n marw. Mewn casged crand, nid mewn arch, y maen nhw'n claddu — a chladdu bob tro, nid amlosgi.

Fe fyddan nhw'n leinio'r bedd â llenni sidan a blodau ac fe ddaw'r galarwyr yn eu cannoedd i dalu'r gymwynas olaf a llond loriau o dorchau blodau efo nhw. Ar ôl y claddu, ac ar ôl llosgi carafán ac eiddo'r marw, fe godir cofeb o farmor cerfiedig i nodi'r bedd. Aberth drudfawr i'r hyn na ellir mo'i ddeall.

Rai blynyddoedd yn ôl roeddwn i'n claddu hen wraig o sipsi hynod o annwyl oedd wedi rheoli tylwyth sipsiwn Llandegai ers llawer blwyddyn. Roedd yr eglwys yn orlawn, a nifer fawr yn gorfod clustfeinio yn y porth. Roedd y chwe mab, yn eu siwtiau duon, wedi'u gwasgu eu hunain yn anghyfforddus i'r sedd flaen, a'r dagrau'n powlio i lawr eu gruddiau gwritgoch.

Fydda i byth yn dweud llawer mewn angladd. Gwell gen i adael i'r hen Lyfr Gweddi Cyffredin leddfu'r boen. Ond y tro yma, wrth weld fy eglwys fach yn orlawn o alar ac ofn, dyma fi'n penderfynu bod yr amser wedi dod i mi foderneiddio tipyn bach ar syniadau fy ail gynulleidfa ynglŷn â chladdedigaeth y meirw. Ar ôl darllen y llith fe gerddais at yr arch a rhoi fy nwylo arni,

'Dydi Jemeima Ruth ddim yn yr arch yma,' meddwn i. 'Dim ond ei chorff daearol hi sydd yn y gist yma. Does arni hi ddim eisiau'r corff yma ragor. Mae hi wedi darfod efo fo ac mae hi am i'w meibion gael gwared ohono. Mae hi am iddyn nhw wneud twll yn y ddaear a rhoi'r hen gorff ynddo a rhawio pridd am ei ben cyn iddo ddechrau pydru. Oherwydd,' meddwn i, 'mae gan Jemeima gorff newydd smartiach o lawer na hwn sydd yn y gist. Mae ganddi hi rŵan gorff ysbrydol.'

Fel roeddwn i'n dweud y pethau yma fe allwn weld y gynulleidfa'n mynd yn anghyfforddus, yn edrych ar y llawr ac yn dechrau shyfflo'u traed. Roedd y Tad Protestannaidd y buon nhw'n ymddiried ynddo wedi'u siomi nhw. Rŵan roedd o'n sôn am ddysgeidiaeth oedd yn ddieithr iddyn nhw ac yn dweud pethau nad oedd arnyn nhw eisiau eu clywed.

Fe welais fy mod wedi gwneud camgymeriad. Wedi'r cwbwl, roedd fy nghynulleidfa gyntaf wedi cymryd o gyfnod y Rhyfel Mawr hyd gysegriad Esgob Durham i ymgodymu â'r broblem yma. A rŵan roeddwn i'n disgwyl i'r sipsiwn druan dderbyn y syniad mewn chwarter awr. Ond mae'n rhaid imi ddweud fod y chwe mab wedi dod fin nos, fel Nicodemus, i gael gwybod rhagor am y lle roeddwn i'n meddwl fod eu mam wedi mynd.

Yn y Rhyfel Mawr fe chwythwyd cyrff miloedd ar filoedd o ddynion ifanc yn chwilfriw. A'r amser hwnnw roedd yna lawer o bobol yn gofyn cwestiynau. Rydw i'n siŵr fod teulu William Dafis oedd wedi claddu ei fraich mor daclus yn y fynwent yn y Blaenau am gael gwybod pwy oedd yn mynd i hel a chladdu'r darnau mân o gorff ei fab a chwythwyd ar faes Ypres. Roedden nhw am wybod beth oedd yn mynd i ddigwydd i arwyr Ypres, Mons a Gallipoli pan ddôi'r amser iddyn nhw sefyll yn dyrfa fawr gerbron yr Oen ar Ddydd yr Atgyfodiad.

Fe roddodd y 'mudiad holi' yma fraw i'r Eglwys ac yng Nghynhadledd Lambeth yn 1920 fe godwyd comisiwn o ddau archesgob a deg ar hugain o esgobion i ymchwilio'n fanwl i honiadau'r Ysbrydegwyr.

Yn 1938 fe sefydlodd yr Archesgob Cosmo Lang ei gomisiwn ei hun yn cynnwys esgobion, ysgolheigion, gwyddonwyr a gwŷr craff eraill i wneud ymchwil drwyadl i weithrediadau a daliadau'r Ysbrydegwyr. Pan gafodd o adroddiad ei bwyllgor mae'n debyg iddo'i gloi mewn cwpwrdd tywyll am flynyddoedd. Tybed mai ei gydwybod ynglŷn â hyn a achosodd iddo, fel pennaeth yr Eglwys Anglicanaidd, ewyllysio yn 1945 i'w gorff gael ei amlosgi ac nid ei gladdu? Fe ddywedai diwinyddion ei ddydd fod yr Archesgob, wrth wneud hyn, wedi pregethu pregeth gryfach yn ei farw nag a wnaeth o erioed yn ei fyw.

Mae'r Eglwys yn symud ac mae'r Ysbryd Glân o hyd yn dod â gwirioneddau newydd am Dduw i bob cenhedlaeth. Mae hefyd i bob oes ac i bob cenhedlaeth ei phroffwyd ond pe bawn i'n cael bod yn Dduw am un cyfnod bach eto rydw i'n credu y buaswn i wedi dewis proffwyd diwedd canrif tipyn mwy huawdl na David Jenkins druan. Un gwael am esbonio pethau ydi Esgob Durham.

Ond dyna ni, rydw i bellach wedi cael yr anrhydedd o rwbio ysgwyddau efo nifer fawr o ysbrydegwyr ac efo pobol sydd wedi derbyn llawer o'r doniau hynny a roddwyd i Gristionogion yr Eglwys Fore. Er hyn i gyd mae yna gymaint, cymaint, cymaint sy'n dal i fod yn dywyll imi.

Fedra i ddim dechrau esbonio i mi fy hun pam mae teulu bach sy'n byw mewn Ficerdy, heb fod ymhell oddi yma, yn gorfod dioddef, bron bob chwarter, ymweliad clamp o hen fwch gafr drewllyd sy'n ymddangos yn eu stafell fyw ac yn llygadrythu arnyn nhw i gyd am funudau bwygilydd cyn diflannu o'u golwg am dri mis arall. Mae fy nghyfeillion ysbrydegol yn ceisio dweud nad bwch gafr ydi o ond ectoplasm, ond dydw i ddim yn meddwl eu bod hwythau'n gwybod chwaith. A dydw innau ddim yn gwybod pam mae ysbrydion yn ymddangos yn nillad gwlanen cartref y cyfnod roedden nhw'n byw ynddo. Ac eto, efallai fod hyn yn fwy parchus nag ymddangos yn noethlymun yn llofft rhywun. Ysbrydion anifeiliaid, ysbrydion yn methu â chroesi, ysbrydion direidus, ysbrydion pen-blwydd ac ysbrydion yn cario watsys aur — mae'r rhain i gyd yn ddirgelwch i mi. Ond dan ddisgyblaeth yr ysbrydegwyr rydw i'n dechrau dysgu bod yn amyneddgar a derbyn dirgelwch bywyd a'r byd tu hwnt. Mae'r bedd gwag yn rhan o'r dirgelwch. Yr unig esboniad sydd gen i i'w gynnig yw fod y disgyblion, ar ôl gweld trychineb ofnadwy'r groes a diwedd mor ebrwydd i'w holl obeithion, angen bedd gwag, a bod y Duw cariadus, a wyddai am yr erlid oedd yn eu disgwyl yn ystod y misoedd dilynol, wedi rhoi bedd gwag iddyn nhw ac wedi gadael iddyn nhw ailgyffwrdd corff yr Iesu oedd mor annwyl yn eu golwg. Dyma wyrth yr Atgyfodiad.

Mae ficer Llandegai ac Esgob Durham ar hyn o bryd yn edrych 'trwy ddrych mewn dameg' ond mae'r amser yn dod pan fydd y ddau ohonon ni'n gallu gweld 'wyneb yn wyneb'. Heddiw rydyn ni'n dau yn 'adwaen o ran' ond mae'r amser yn dod pryd yr 'adnabyddwn megis y'n hadwaenir'. Fe fedra i aros tan hynny.

Heddiw roeddwn i'n trefnu angladd ffrind oedd wedi marw o gancr yn 47 oed. Yn ystod pythefnos olaf ei salwch byr roedd hi wedi bod yn mynychu cylch iacháu yr Eglwys Ysbrydegol ym Mangor. Roedd hi wedi cael, trwy gyffyrddiad dwylo aelodau'r cylch, y tangnefedd rhyfedd yna na ŵyr y byd amdano a'r gras i wynebu ei diwedd mewn tawelwch.

Dyma'i gŵr hi'n gofyn i mi,

'Fuasech chi'n fodlon i un o'r cylch iacháu ddweud gair yn y gwasanaeth yn yr Amlosgfa?'

Mae'n rhaid fy mod i wedi oedi am eiliad neu ddau cyn ateb oherwydd fe ddywedodd o wedyn,

'Dim os ydi o'n mynd i'ch cael chi i drwbwl, ficer.'

Ceisio meddwl roeddwn i ymhle roedd yr ysbrydegwyr yn sefyll o safbwynt swyddogol yr Eglwys. Oedden nhw'n hereticiaid ynte beth? Oedd angen gofyn caniatâd yr esgob i beth fel hyn? Dyma benderfynu nad oedd o ddim yn fater y cawn fy esgymuno o'i achos ac fe ddywedais wrth y gŵr,

'Ar bob cyfri, gofynnwch i un o'r aelodau ddŵad a dweud gair yn y gwasanaeth.'

Pan oedd Aelod Seneddol mewn dadl yn Nhŷ'r Cyffredin yn ceisio disgrifio beth oedd yr Eglwys Ysbrydegol fe ddyfynnodd eiriau Sant Paul wrth ddisgrifio'r Eglwys Fore.

'Eithr am ysbrydol ddoniau, frodyr, ni fynnwn i chi fod heb wybod . . . eithr eglurhad yr ysbryd a roddir i bob un er ei lesâd. Canys i un trwy yr ysbryd y rhoddir y ddawn i iacháu, ac i un arall wneuthur gwyrthiau, ac i arall broffwydo, ac i arall wahaniaethu rhwng yr ysbrydoedd. (1 Cor. 15)

Ar ôl darllen y geiriau yma fe gefais i'r teimlad fod yna rywbeth mawr o'i le arna i, neu ar fy eglwys, neu ar fy esgob, neu ar yr holl job lot ohonon ni, fy mod i wedi gorfod oedi, hyd yn oed am hanner eiliad, cyn dweud wrth ŵr fy ffrind yn ei brofedigaeth am iddo ar bob cyfri ofyn i un o'r ysbrydegwyr gymryd rhan yn yr angladd.

Dyma ddechrau meddwl wedyn, os ydi'r ysbrydegwyr yma yn Gristionogion go iawn, y buasen nhw'n gallu rhoi pwff o anadl ffres i ysgyfaint yr hen fam eglwys. Fe fuasai'r rhain yn gallu dangos inni sut i iacháu'r claf — celfyddyd rydyn ni wedi'i cholli. Fe fuasen nhw hefyd yn gallu dangos inni o'r newydd sut i wahaniaethu rhwng ysbrydoedd.

A dyma fi'n disgyn i freuddwyd hyfryd.

Roeddwn i'n ôl yn Is Ganon ifanc yn Eglwys Gadeiriol Bangor ac yn darllen y cyhoeddiadau.

'Y Sul nesaf, Cymun am wyth o'r gloch,
Am hanner awr wedi deg, Cymun corawl a'r Tra Pharchedig y Deon yn pregethu.
Yn yr hwyr, am hanner awr wedi chwech, fe gynhelir Cylch Iacháu. Y *medium* yn y gwasanaeth fydd Mrs Winnie Marshall. Gofynnir i'r rhai sy'n dymuno derbyn neges o'r byd tu hwnt i'r llen ddod â blodau gyda nhw.'

Ar ôl y cyhoeddi fe glywais yr efengyleiddwyr yn gweiddi 'Haleliwia' a'r Pabyddion yn canu 'Cyfarch i Fair Sanctaidd llawn o ras'. Ac fe welais yr hen eglwys Geltaidd yn symud ymlaen i'r ganrif newydd ar ôl dod o hyd i'r trysorau roedd hi wedi'u colli ar hyd yr oesoedd. Bellach roedd hi'n gallu iacháu'r claf a gwahaniaethu rhwng ysbrydoedd. Fe welais i hefyd eglwys fach, fach yr ysbrydegwyr yn bywiogi ac yn cryfhau dan ddylanwad a disgyblaeth y Fam eglwys a'i chredöau a'i thraddodiadau.

Rydw i wedi cyfaddef sawl tro bod fy addysg newydd am y byd tu hwnt i'r llen wedi cyfoethogi fy ngweinidogaeth. Fe ddywedodd Sis Jones hynny wrtha i ar ei gwely angau lawer blwyddyn yn ôl.

Roedd Miss Jones yn un o'm plwyfolion mwyaf selog, ond roedd rhywbeth dipyn bach yn od yn Sis. Roedd hi'n gwisgo du bob amser, clamp o het fawr ar ei phen a rhyw sgarff bach shiffon yn cuddio'i gên haf a gaeaf.

Byw ar ei phen ei hun roedd Sis Jones ac rydw i'n credu mai fi oedd yr unig un oedd yn cael mynd dros drothwy ei thŷ. Mewn gwirionedd, yr unig adeg y dôi Sis i blith pobol oedd yn yr eglwys ar y Sul, a hyd yn oed bryd hynny hi oedd yr olaf i gyrraedd a'r cyntaf i gychwyn am adref.

Roedd pobol y goits fawr yn dweud fod ganddi ddigonedd o arian ond ei bod hi'n ddihareb o gybyddlyd. Roedd pobol yn dweud hefyd mai oherwydd ei bod hi wedi'i siomi mewn cariad yr oedd Sis wedi mynd mor od. Roedd sôn ei bod hi wedi dyweddïo â rhyw gurad bach ond am ryw reswm doedd pethau ddim wedi gweithio allan.

Pan fyddwn i'n mynd i'w gweld, fe fyddai Sis a minnau'n cael sgyrsiau diddorol. Pan oedd hi'n ferch ifanc roedd hi'n un o'r rhai cyntaf i fod yn berchen ar fotor beic, ac roedd ganddi glamp o Norton yn y dauddegau. Cyn bod neb arall yn meddwl am fynd i ymdrochi, fe fyddai Miss Jones yn mynd efo'i beic i lan y môr ac yn nofio allan am filltiroedd.

Mae'n siŵr gen i fod Sis druan yn tynnu at ei saith deg pan aed â hi i'r ysbyty mewn poen difrifol. Fe gafodd bob math o archwiliadau, ac ar y diwedd dyma nhw'n dweud wrthi fod cancr arni ac nad oedd ganddi ond ychydig wythnosau i fyw. Fe gododd Sis ei phac o'r ysbyty ac fe ddaeth adref i farw.

Pan glywodd y cymdogion am y sefyllfa fe ddaeth un neu ddwy ata i a dweud y buasen nhw'n falch iawn o roi help yn y tŷ ond nad oedden nhw ddim yn hoffi cynnig.

'Rydach chi'n gwybod sut un ydi Sis,' medden nhw.

Fe ddywedais wrth Sis beth oedd y cymdogion yn ddweud ac am iddi ystyried y cynnig.

'Fe fydd raid imi dalu crocbris iddyn nhw mae'n debyg,' meddai.

'Peidiwch chi â beiddio dweud y fath beth,' meddwn innau. 'Eich cymdogion chi ydi'r bobol yma a does arnyn nhw ddim eisiau ceiniog goch o'ch hen bres chi.'

Fe fu Miss Jones fyw am ddeg wythnos ar ôl inni lunio rota o amseroedd a dyletswyddau i'r gwirfoddolwyr. Wn i ddim pa mor hapus oedd Sis wedi bod pan oedd hi'n ifanc ac yn reidio'i beic modur ac yn nofio ac ati ond rydw i'n gwybod pa mor hapus oedd hi yn ystod deg wythnos olaf ei bywyd. Roedd Sis fel radi rondol yn cracio jôcs nes bod pawb yn y tŷ yn rowlio chwerthin. Roedd hi wedi dod i wybod ystyr cariad a chymwynasgarwch a chymdogaeth dda. Er ei bod hi wedi mynychu'r eglwys ar hyd ei hoes, dim ond yn ystod ei deg wythnos olaf y daeth hi i wybod pam.

Ond roedd hi mewn poen hefyd ac yn ceisio peidio â dangos i ni faint oedd hi'n ddioddef. Un diwrnod fe ddaeth ei meddyg i'm gweld a gofyn,

'Tybed fuasech chi'n gallu perswadio Miss Jones i gymryd cyffuriau at ladd y boen?'

A dyma fo'n esbonio ei fod hyd yn hyn wedi cadw'r

cyffuriau yn ôl rhag ofn iddyn nhw golli eu heffaith cyn bod eu gwir angen at y diwedd.

'Ond mae'r angen wedi dod rŵan,' meddai'r meddyg. 'Mae Miss Jones druan yn cael poenau arswydus ond mae hi'n gwrthod cymryd dim byd at y boen, dim hyd yn oed asbrin. Meddwl roeddwn i, pe baech chi'n gofyn iddi . . .'

Drannoeth dyma fi'n rhoi cynnig arni.

'Sis bach,' meddwn i, 'rydach chi'n wirion iawn na chymerwch chi gyffuriau i ladd yr hen boen 'na.'

'Hm,' meddai hithau. 'Rydw i'n synnu atoch chi o bawb yn ceisio fy mherswadio i gymryd cyffuriau. Ydach chi ddim yn cofio'r Pasg diwethaf pan oeddech chi'n pregethu am yr Atgyfodiad, ac yn dweud nad oedd marwolaeth yn ddim i'w ofni? Y cwbwl ydi o, meddech chi, ydi cau llygaid yn y byd yma a'u hagor nhw wedyn mewn byd sy'n fwy hyfryd o lawer. A dyna chi'n sôn wedyn am y doctor hwnnw yn holi pobol oedd wedi bod yn glinigol farw ac wedyn wedi cael eu tynnu'n ôl a'u hatgyfnerthu gan feddygon. Roeddech chi'n dweud fod y rhan fwyaf o'r rhai oedd wedi croesi a dod yn ôl yn disgrifio bron yr un peth â'i gilydd; eu bod nhw wedi'u cael eu hunain yn cerdded trwy dwnnel mawr a chlywed miwsig persain ac wedi cael rhyw deimlad o ysgafnder a gwir hapusrwydd. Ym mhen y twnnel roedd eu rhieni a'u perthnasau wedi ymgynnull yn fintai i'w croesawu nhw. Ydach chi'n cofio dweud hynna?'

'Ydw,' meddwn innau.

'Wel, ynte,' meddai Sis, 'sut yn y byd ydach chi o bawb yn gallu gofyn cwestiwn mor hurt imi — pam rydw i'n gwrthod cymryd cyffuriau'r doctor? Does arna i ddim eisiau bod yn swrth ac yn gysglyd pan fydda i'n mynd trwy'r profiad rhyfeddol yna. Mae arna i eisiau mwynhau fy marwolaeth i — pan ddaw o!'

Esboniad Elwyn

Amgyffred Uwch Synnwyr *(Extra Sensory Perception)*
Gallu sydd gan yr hil ddynol, ac o bosibl anifeiliaid, i amgyffred pethau heb ddefnyddio yr un o'r pum synnwyr cydnabyddedig — golwg, clyw, blas, teimlad ac arogli.

Drychiolaeth *(Ghost/Apparition)*
Adlewyrchiad (megis mewn drych) o berson (byw neu farw), o anifail neu wrthrych arall na all fod yno'n ffysegol ar y pryd.

Profiad Allan o'r Corff *(Out of Body Experience)*
Y profiad fod lleoliad yr ymwybod ar wahân i'r corff. Weithiau digwydd hyn yn anfwriadol (yn ddamweiniol), dro arall pan fo un mewn enbydrwydd. Honnir gan rai y gallant fynd i'r stad hon yn wirfoddol. Mae lle i gredu fod hyn yn digwydd hefyd pan fo un ar fin marw; yn ôl tystiolaeth rhai a achubwyd trwy drydanu'r galon, ac ati. Ar ôl eu hadfywio honnir gan amryw iddynt weld popeth megis o'r tu allan i'w cyrff a chyfarfod cyfeillion a oedd wedi marw a bodau ysbrydol croesawgar eraill.

Cyfryngwr/wraig *(Medium)*
Person a ymddengys yn fwy sensitif na'r cyffredin i'r Byd Ysbrydol (yn ôl cred yr Ysbrydegwyr) ac sy'n gallu trosglwyddo negeseuon ar draws y ffin. Mae gwahanol fathau o gyfryngwyr. Dosberthir hwy yn ôl y math o ffenomenâu a ddigwydd, a'u dull o gyfathrebu. Nhw fel arfer sy'n arwain gwasanaethau yn eglwysi'r Ysbrydegwyr. Dros y blynyddoedd daliwyd amryw yn twyllo, ond y tebygolrwydd yw fod y rhelyw ohonynt yn onest.

Cyfryngwyr Meddyliol *(Mental Mediums)*
Rhai sy'n trosglwyddo gwybodaeth am neu o'r ysbrydol trwy ddefnyddio Clirolwg a Chlirglyw (telepathi rhwng meddyliau ar draws y ffin efallai). Ond cofier mai anodd profi hynny pan mae'r wybodaeth eisoes ym meddwl y gwrandawyr. (Gall fod mai telepathi rhwng y byw yw'r eglurhad).

Cyfryngwyr Gweddnewidiol *(Transfiguration Mediums)*
Gorchuddir y rhain gan niwl lle'r ymddengys ffurfiau neu luniau pobl a phethau i'r edrychwyr.

Cyfryngwyr Ffysegol *(Physical Mediums)*
Rhai yr honnir eu bod yn galluogi ffurfiau ffysegol i fodoli dros dro. Prin iawn yw'r math hwn bellach, ac yn wir cred rhai mai twyllodrus oeddynt oll, er bod tystiolaethau am y fath ddigwyddiadau gan bobl a gyfrifid yn ddibynadwy mewn meysydd eraill.

Paraseicoleg *(Parapsychology)*
Astudiaeth o bŵerau'r meddwl nas deëllir hyd yn hyn yng ngoleuni gwyddoniaeth.

Paranormal
Digwyddiadau anghyffredin neu annealladwy fel gweld drychiolaethau, effaith uniongyrchol y meddwl ar fater, telepathi, ac ati.

Telepathi *(Telepathy)*
Y gallu, fe ymddengys, sydd gan feddyliau i gyfathrebu â'i gilydd heb ddefnyddio yr un o'r pum synnwyr cydnabyddedig.

Clirolwg *(Clairvoyance)*
Y gallu i weld rhywbeth sydd tu hwnt i'r golwg arferol.

Clirglyw *(Clairaudience)*
Y gallu i glywed rhywbeth sydd tu hwnt i'r clyw arferol.

Corff-wawl *(Aura)*
Golau gwan a welir gan rai pobol yn amgylchynu'r corff dynol, yn enwedig y pen.

Seicig *(Psychic)*
Yn ymwneud â'r meddwl, yn enwedig paraseicoleg.

Ysbryd *(Spirit)*
Meddwl neu bersonoliaeth unigolyn. Mae llawer o ddigwyddiadau sy'n tueddu i brofi fod 'y meddwl' (neu'r ysbryd) yn gallu bodoli heb gorff ffysegol ac felly

yn parhau ar ôl angau. Mae hyn wrth gwrs yn unol â chredoau pob crefydd am a wn i gan gynnwys Cristionogaeth.

Ysbrydegaeth *(Spiritualism)*
Y gred mewn byd arall ar wahân i'r un ffysegol yr ydyn ni'n gyfarwydd ag o, lle trig meddyliau, gan gynnwys rhai pawb a fu farw, a bod cyfathrebu rhwng y ddau fyd yn bosibl ac yn digwydd pan fo'r angen neu'r dymuniad i gysylltu'n ddigon cryf a bod cyfrwng addas ar gael.

Ysbrydegwyr *(Spiritualists)*
Sectau crefyddol, sydd nid yn unig yn credu mewn dimensiwn ysbrydol ond sy'n arfer cyfathrebu â phreswylwyr y byd hwnnw yn rheolaidd yn ystod eu gwasanaethau (yn ôl eu cred hwy). Eu bwriad yw profi i'w haelodau ac ymwelwyr fod eu perthnasau a'u cyfeillion ymadawedig yn dal i fodoli fel yr oeddynt cyn eu marwolaeth; cyfathrebu efo bodau ysbrydol aeddfed ac athrylithgar, ac iacháu clefydau corff a meddwl gyda help meddygon ysbrydol sy'n gweithio ar ran yr Ysbryd Anfeidrol.

Cymdeithas Archwilio'r Seicig *(The Society for Psychical Research)*
Cymdeithas a sefydlwyd yn 1882 i archwilio digwyddiadau anarferol (neu baranormal) o safbwynt rhesymegol a gwyddonol, yn onest a diragfarn. Hyd heddiw, mae'r Gymdeithas wedi denu rhai o'r ysgolheigion pennaf, yn wyddonwyr, athronwyr, clerigwyr, mathemategwyr, meddygon, seicolegwyr, ac

ati. Gall unrhyw un fod yn aelod, am dâl blynyddol, a derbyn gwybodaeth am arbrofion damcaniaethau a phrofiadau.
Y cyfeiriad yw: 1 Adam & Eve Mews, London W8 6UG.

Gweledigaeth *(Vision)*
Profiad arbennig rhai o weld rhywbeth sydd ymhell neu yn y dyfodol; proffwydo, weithiau mewn breuddwyd.

Rhagweld *(Pre-cognition)*
Gweld neu brofi rhywbeth sydd heb ddigwydd ar y pryd.

Arweinydd Ysbrydol *(Spiritual Guide)*
Yn ôl yr Ysbrydegwyr, ysbryd gwarcheidiol yw (angel?), sy'n ceisio rhoi arweiniad inni ar ein taith trwy fywyd.

Ysbryd Cyfarwydd *(Familiar Spirit)*
Ymddengys fod rhai cyfryngwyr, os nad pob un, yn gallu cysylltu â phersonau o'r byd ysbrydol trwy gael help un o drigolion y stad honno sy'n dal â diddordeb yn y byd ffysegol hwn — ffrind parod ei gymwynas tu draw i'r 'llen'.

Ysbrydion Da a Drwg
Os yw'r dimensiwn ysbrydol yn ffaith, rhesymol yw tybio fod ei breswylwyr yn gymysgedd o rai da, rhai canolig a rhai drwg, fel ag y mae pobol y byd hwn! Ac os gwir yw fod ysbrydion yn gallu cyfathrebu â ni, afresymol fyddai credu fod rhyddid i'r rhai drwg yn unig

i wneud hynny. Tebyg at ei debyg fyddai fwyaf credadwy. Cofiwn, yn ôl dysgeidiaeth y Beibl, mai 'Ysbryd yw Duw . . .'

Iacháu Seicig *(Spiritual or Psychic Healing)*
Yr act o iacháu corff neu feddwl trwy ymyriad dwyfol. Cred yr 'iachawr' fel arfer yw ei fod yn cael ei ddefnyddio gan Dduw neu ryw ysbryd arall sy'n ei gynrychioli er mwyn helpu'r anghenus.

Poltergeist
Gair Almaeneg am 'ysbryd swnllyd'. Y gair a ddefnyddir yn aml am effeithiau paranormal a ddigwydd mewn neu o gwmpas adeiladau a phobol; sy'n creu sŵn ac ambell dro yn symud pethau o gwmpas gan gynnwys codi dodrefn a lluchio cerrig. Mae lle i gredu y gall meddwl y byw yn ogystal â meddwl y marw fod yn gyfrifol am ffenomenâu poltergeist; fel arfer pan fo tensiwn emosiynol ym meddwl y byw, neu'r marw yn dymuno rhoi neges bwysig.

Meddylnerth *(Psychkenisis)*
Gallu'r meddwl i effeithio'n uniongyrchol ar fater gan gynnwys newid ei dymheredd a'i symud.